スライム倒して300年、知らないうちにレベルMAXになってました
She continued destroy slime for 300 years
13
Morita Kisetsu
森田季節
illust. 紅緒

生きてる間はこんなの見たっことねえや
ここなら町を一望できるね！

一国一城の主になった気分

テストプレイヤー
アズサ
神様伝説《かみさまでんせつ》
Kamisama Densetsu

ボス
ベルゼブブ

レッドドラゴン女学院
Red Dragon Women's Academy
スライム倒して300年、
知らないうちにレベルMAXになってました
—スピンオフ—

今こそ姉さん《最強》を超える時——
いざ、勝負です!!!

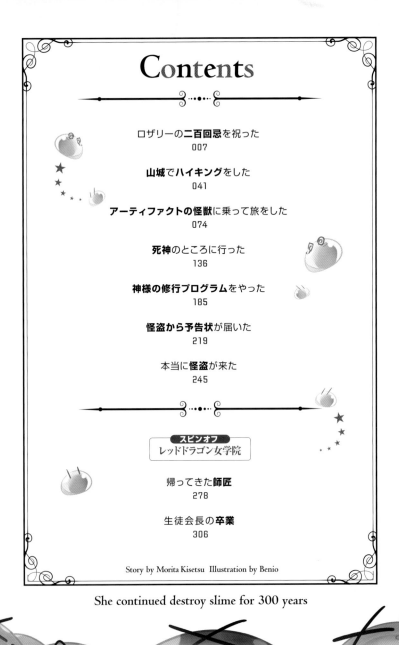

Contents

Story by Morita Kisetsu Illustration by Benio

She continued destroy slime for 300 years

スライム倒して300年、
知らないうちにレベルMAXになってました13
Morita Kisetsu
森田季節
illust. 紅緒

アズサ・アイザワ（相沢 梓）

主人公。一般的に「高原の魔女」の名前で知られている。
17歳の見た目の不老不死の魔女として転生してきた女の子（？）。
いつの間にか世界最強になっていて大変な目に遭いもしたが、
そのおかげで家族が出来てご満悦《まんえつ》。

継続はパワーなり。
継続できることしかしません！

ごきげんようお姉さま。
さぁ、拳で語らいましょう！

ライカ

レッドドラゴンの娘で、アズサの弟子。最強の高みを目指し、
毎日コツコツ努力する頑張り屋の良い子。ゴスロリやメイド服といった
ふりふりな服がとても似合う（本人は恥ずかしがる）。
本書掲載の外伝「レッドドラゴン女学院」の主人公。

ファルファ&シャルシャ

スライムの魂が集まって生まれた精霊の姉妹。
姉のファルファは自分の気持ちに
正直で屈託《くったく》がない子。
妹のシャルシャは心づかいが細やかで
気配りが出来る子。
二人ともママであるアズサが大好き。

ママー、ママー！　ママ大好き！
……体は重くとも、心は軽くあるべき

さぁ、今日は何を食べましょうかね♪

ハルカラ

エルフの娘で、アズサの弟子。
キノコの知識を活かし会社を経営する
立派な社長さんなのだが、高原の家では、
ところ構わず〝やらかし〟てしまう
一家の残念担当に過ぎない。

ベルゼブブ

ハエの王と呼ばれる上級魔族で、魔族の農相。
ファルファとシャルシャを
まるで姪っ子かのように愛でており、
魔界と高原の家を頻繁に行き来している。
アズサの頼れる「お姉ちゃん」。

わらわの名はベルゼブブ！
魔族の国の農相じゃ!!

ロザリー

高原の家に住む幽霊少女。
幽霊である自分を遠ざけず、
手を差し伸べてくれたアズサに心酔している。
壁を抜けられるが人は触れない。
人に憑依する事も可能。

アタシ、姐《ねえ》さんに
ずっとついていきます！

義理のお母様、
世界は真っ白であるべきです！

シローナ

ファルファ&シャルシャの後に生まれた
スライムの精霊。警戒心が強く、
アズサを義理の母親扱いしてあまり懐《なつ》かない。
既に一流の冒険者として活躍しているが、
白色を偏愛するという奇癖を持つ。

ペコラ（プロヴァト・ペコラ・アリエース）

魔族の国の王。その権力や影響力を使って
アズサや周りの配下を振り回すのが
大好きな、小悪魔的気質を備えた女の子。
実は「自分より強い者に従属したい」という
マゾ気質を備えており、アズサに心酔している。

クールな雰囲気の
魔女のお姉様、最高ですぅ

ムーム・ムーム

略称はムー。悪霊たちの国「死者の王国」の王にして、滅亡した古代文明の王でもある。ノリの悪い民（悪霊）に愛想を尽かして引きこもっていたものの、アズサとロザリーと触れあったことで社会復帰（？）した。ノリツッコミ好きな関西人的性格。

おもろかったらなんでもアリなんや
おもろい奴が最強やからな

アズサさんのお力を借りたいな～と

メガーメガ神

アズサをこの世界に転生させた張本人。この世界を体現するような、朗らかで人当たりがよく、そしていい加減な性格の女神様。女性に甘く、ついつい甘い裁定をしてしまう。

ニンタン神

この世界で古くから信仰されている女神様。常に上から目線で、気に入らない相手をすぐカエルに変身させてしまう困った性格だが、人間（レベルMAXを突破したアズサ）に負けたことで、少し丸くなった。

こわっぱめ！
お前もカエルにしてやろうか

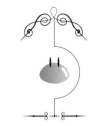

ロザリーの二百回忌を祝った

She continued destroy slime for 300 years

また、ムーがロザリーと遊ぶためにやってきたので、ナンテール州の少し離れた町にまで連れていった。

送迎してくれたライカはそのまま別の町に買い物に行って、あとで戻ってくる予定だ。

私が一応来ているのは、ロザリーとムーだけにするとまだ危《あぶ》なっかしいところがあるからだ。前みたいにムーの体が壊れたりすると、噂《うわさ》になっちゃうしな。

なお、この町を選んだのはロザリーの提案だ。

一見、何の変哲《へんてつ》もない町だし、ロザリーも来たことはないようだし、どうしてここにしたんだろうと来るまでは疑問だったけど、今ではその理由がはっきりしている。

「ふうん、それは災難《さいなん》やったな。そりゃ、土地に執着してまうわ」

「だよな。まだ、自宅からここまで移動してきただけマシだぜ」

ロザリーとムーはほかの面子《メンツ》を交《まじ》えて、談笑している。なかなか盛り上がっているようで、なによりだ。

私はそれを離れたベンチから見守っている。

休憩《きゅうけい》用のベンチがあって、よかった。私は原則、会話には入らない。厳密には入れない。

と、ムーがこっちに顔を向けた。ただ、顔の向け方も少しぎこちなかったというか、首だけが百八十度回ったので、かなり不気味《ぶきみ》だった……。

「なあ、自分もそんなところでのんびりせずに話に加わったらどうや？」

「気持ちはうれしいけど、遠慮《えんりょ》しとくよ」

「なんや、控《ひか》えめやな～。うちの王国のオバチャンはみんなもっとグイグイ来たで」

私をオバチャン扱いするな。見た目は十七歳だ。

それに控えめな性格だからというわけじゃない。

「だって――ロザリーとムー以外見えないし」

「そうか？　別に生きてる人間でも気にせんって奴《やつ》ばっかりやで。こっち来たらええのに」

「こっちはまあまあ気にするからいいよ……」

そう、ロザリーとムーは墓地《ぼち》の真《ま》ん中《なか》にいる。

ロザリーがこの町を選んだ理由は、ここに大きな墓地が広がっているからだ。

お墓があるからといって、必ずしも霊《れい》がいるということにはならないのだが（いわゆる成仏《じょうぶつ》しちゃっているケースのほうが多い）、それでも中にはこの世に未練《みれん》を残している死者もいるわけで、そういう死者とコミュニケーションを取りに来たらしい。

生きてる私にとっては霊の間でのコミュニケーションは謎《なぞ》だが、見ている様子では生きてる者のケースとさほど変わらない。

「ふうん。ぶっちゃけ、古代文明生まれのうちより、自分のほうが共通の話題を話せるはずやけどな。ここの霊も大半は自分より若いで」

この場合の「自分」は二人称の「あんた」ぐらいの意味で、私を指している。

私は三百年生きてる魔女だから、私より若い幽霊《ゆうれい》も多いだろう。

ムーの言葉にも一理あるが、まだ軽く抵抗がある。

「ちなみに、今はどんな話をしてるの？　このへんの土地の料理とか？」

「霊に迷惑かける霊を強制的に昇天《しょうてん》させる方法について話してるわ」

「全然、こっちに共通しない話題じゃん！」

見事に霊限定のネタじゃないか。

まあ、生者と死者は別種族みたいなものだし、別種族同士で違う話で盛り上がるのはごく普通のことだ。

その程度の違いなら受け入れられないと、高原の家では暮らせない。

でも、霊の友達があんまり増えるというのは、怖い話が得意じゃない私としては、まだ二の足を踏《ふ》む。

それでベンチに座って見守っているというわけだ。

基本的には、死者は死者同士で仲良くすればよいと思う。

ロザリーも高原の家とはちょっと異《こと》なった、はしゃいだような反応をしていた。

高原の家で無理をしてることはないと思うけど、たとえて言うなら、高原の家は実家の反応で、この墓地は同世代の友達と遊んでいる反応というところか。

家族と、クラスの友達と、同じノリで接するほうがおかしいし、これでいいのだ。

ロザリーもここでは霊らしく（？）楽しんでくれればいい。

ロザリーとムーの声は意識していれば休憩中のベンチまで聞こえてくる。

「ああ、そういえばそうだったぜ。ちょうど今年だったな」

「同郷《どうきょう》の奴に教えてもらえてよかったやないか。ロザリーもそのへん、ちゃんと覚《おぼ》えとかんとあかんで。一生に一度なんやし、忘れてたままやったら後悔するで」

何か情報を得たらしい。霊の中でのコミュニケーションもやっぱり大事だな。

しかし、一生に一度って何だろう？

厳密に言うと、すでに一生は終わってるんだよね……。

昇天（あるいは成仏）するとなると、霊的にも一度のことなんだろうけど、それならあんなカジュアルなノリでの話にはならないだろう。

「まっ、アタシは末裔《まつえい》もとくにいないみたいだし、関係ねえけどな」

「なんや、ロザリー、うちの前でそんな寂《さび》しいこと言わんといてや。うちがどうにかするで。大会やるで、大会や、大会！」

ムーがイベントとして盛り上げようとしているみたいだが、何なんだろう。

しばらくすると、ムーがこっちにやってきた。

来るのにかなり時間がかかったので、途中から私が運んできたが……。まだまだ自力での移動は遅い。魔法でいくらでも体を動かせるのに、あまり使いたがらない。

ロザリーもベンチに来た。ムーがゆっくりすぎるので、少し離席という形にもならないのだ。

「それで、ムー、いったい何の話だったの？」

「さっき、このへんで死んだ霊と話してて、生まれた年の話になってわかったんやけどな、ロザリーが今年、アニバーサリー・イヤーなんやわ」

「何？　誕生して何百年とか？」

ロザリーが照れ気味だし、そのあたりのことだろう。それは祝《いわ》ったほうがいい。

「あ～、惜《お》しい、惜しい！　ほぼ正解なんやけどな！　かすってるんやけどな！」

「これで当たってないとすると、何？」

「正解は、ロザリー二百回忌《かいき》や！」

「かなり死者寄りな解答！」

ムーに対して、ロザリーはあまり盛り上げるなという顔をしていた。自分自身のことだし、照《て》れ臭《くさ》いのかもしれない。

「それほどのことじゃねえよ。悪霊として残ってれば、そのうち迎えるものだしさ。英雄とか聖者とかでなきゃ、二百回忌なんて、ただの通過点だろ」

「そりゃ、普通はそうやけど、二百回忌なんてな、一般人やったらそもそもやってもらえへんのやで」

たしかに誰《だれ》も彼《か》も二百回忌を祝ったら、毎年、国中が法事だらけになる。

「でも、ロザリーのこと知ってる奴はいくらでもおるやないか。高原の家とその周辺だけでもけっこうな数や。うちの友達な時点で、王族に準じるぐらい派手《はで》にやってええはずや」

言われてみれば。

二百回忌を祝える立場という時点ですごく恵まれているのだ。

「というわけでや――」

ムーが私のほうを向いた。

「サーサ・サーサ王国で二百回忌を祝うことにするわ！　出席者リスト作るの手伝ってや」

「そういうのって霊が開くものなのか……。生きてる人が死んでる人のためにやるイメージだったけど……」

しかし、お祝いをしてはいけない理由なんて何もないな。

「わかった。私ができる範囲で手伝うよ。ロザリーも二百回忌を開くこと自体はＯＫだよね？」

「ま、まあ……一生に一度のことですし、あまり派手にならないんだったら……」

頬《ほお》をかきながら、ロザリーは言った。

これは死んでても生きてても恥《は》ずかしい局面かもね。

ぜひ誕生日会を開いてくれと言うのと同じぐらい、二百回忌のイベントを開いてくださいとは言いづらいだろう。

こうして、ロザリーの人生に一度の二百回忌記念イベントが行われることになった。

◇

さて、私も手伝うとは言ったものの、私がやれることというと、ごく一部に限られていた。

まずはイベントに招待する名簿《めいぼ》を用意する作業。

これに関してはムーだけではできない部分もあるからな。

もう一つは、私にしかできない仕事だ。

魔法でロザリーに新しいドレスを着せてあげるのだ。

「はーい。じゃあ、行くよ。これはどうかな？」

私はロザリーの服をきらきらしたドレスに変えた。

幽霊であるロザリーにドレスを着せる魔法もずいぶん上達してきた。

もっとも、幽霊なら誰にでも服を替えてあげられるというわけじゃない。ロザリーのほうもイメージトレーニングに慣れたからというのもあるようだ。

「これ、アタシにしては派手じゃないですか？　ごてごてしすぎっていうか……」

「いや、イベント的にロザリーがメインなんだし、それぐらいでもいいと思うよ」

これまでロザリーに着せたドレスよりもボリューミーではある。

どことなく、ウェディングドレスっぽさもある。

「ロザリーが照れちゃう気持ちもわかるけど、ここは思い切ったほうがいいよ。三年後にあの時の二百回忌、もっとああしたほうがよかったなと思っても遅いから」

「う〜ん……。どっちかというと、ワンポイントを入れてもらったほうがいいです」

「ワンポイント？　意見は聞くよ。まだまだ修正も微調整もできるからね」

ロザリー本人が不服なドレスじゃ意味がないしね。

ロザリーは私に背中を見せた。

「この背中に刺繍《ししゅう》で**『二百回忌、皆々様に迷惑かけて生き恥《はじ》死に恥たくさんかいて参りました。どうにかこうにかここまで来《こ》られました。これからも暴《あば》れ馬みたいに美駆登利威《ビクトリー》・露悪道《ロード》を駆け抜けていくんでそこんとこ夜露死苦《ヨロシク》！』**というメッセージを――」

「ワンポイントってレベルじゃないだろ」

ヤンチャな人の成人式か。

「でも、姐《ねえ》さん、感謝の気持ちを伝えたいとは思うんです。アタシの二百年はみんながいるからあるものなんで」

正しくは悪霊だから、みんなの支えがなくても二百年目は迎えられる気がするけど、そういうことではないよね。

「言いたいことはわかるけど、それは口で伝えようよ。参加者みんなに感謝の気持ちを伝えるために、ロザリーの背中を見せるのもおかしいでしょ。微妙に失礼でしょ」

「それは……そうですね」

どうやら、ロザリーも納得してくれたらしい。

「刺繍は背中じゃなくて前にするべきか。前に**『皆々様、感謝感激雨霰《あられ》』**と――」

「前でもダメだからね！　それに、そういう服の知識がないから作れないよ！」

私は前世でそういう服を着たことはないし、友達にもそういう人はいなかったので、わからん。

そのあと、ライカやハルカラの意見も取り入れつつ、それなりに豪華で、ロザリーも妥協《だきょう》できるドレスになりました。

私はいつもより少しだけ強引《ごういん》に、かわいくてゴージャスなドレスのほうに寄せた。

ロザリーも本音ではかわいいドレスが着たいと考えていると思ったからだ。

これまでにドレスを作った時にもそれは感じていた。

しかし、口ではそのあたりのことは言いづらい。今回はロザリーが主役だから余計にそうだ。

私だって自分の立場なら一歩引いてしまうだろう。

このあたりの遠慮も前提に入れてチョイスしていかないといけないから、難しい。

ドレス問題が解決すれば、私がやることは何もなかった。

イベントはムーが企画してくれてるから、私がチェックすることもないし、あとはサーサ・サーサ王国に家族揃《そろ》って向かうだけだ。

私たち家族はロザリー二百回忌イベントのために、サーサ・サーサ王国に向かった。

「アズサ様、サーサ・サーサ王国には飛んで入れるんでしょうか？」

ドラゴン形態のライカに飛行中に質問された。

ああ、普段は誰も立ち入れないような対策をしているからな。

「期間限定で入れるようにしているらしいから大丈夫だよ。遺跡の近くに発着できるんだって」

「わかりました。では、直接入っていくつもりでいきますね」

とくに波乱もなく、私たちはサーサ・サーサ王国の近くまでやってきた。

「あれ？　姐さん、あんな像、以前はありましたか？」

ロザリーに聞かれた。そういえば、巨大な石像らしきものが立っている。

前世の記憶でたとえると、牛久大仏《うしくだいぶつ》みたいな、そういう巨大立像のようなものがある。

ムーは派手好きのようだし、何か作ったのかな。

ムーのことだから、なぜか食い倒れ人形みたいな顔の像だったりして……。

近づいてみて、何の像かがわかった。

ロザリーの石像だった！

巨大なロザリーが両腕を振り上げている像だった。なんで、そんなクマが襲いかかってくるみたいなポーズになっているんだ？　もっと、おしとやかなのにしようよ……。

「おい！　ムーのやつ、何してんだよ！　こんなの聞いてねえぞ！」

ロザリーが赤面していた。

私だってこんなことされたら怒る。

「皆さん、そろそろ降下しますね……。落ちないように注意してください」

ライカはフラットルテが降下したのに続いて、サーサ・サーサ王国に降り立った。


降りたところには、ムーと大臣のナーナ・ナーナさんの二人が待っていた。

「おお、来たな！　今日は二百回忌お祝い大会やで！」

「陛下のサプライズ案として、あの石像を作ることになりました。私は言われたまま、実行しただけです」

ナーナ・ナーナさんが責任回避のようなあいさつをした。

「ムー！　あんな石像はやめてくれ！　せめてもっと小さいのにしろよ！　巨大にもほどがあるだろ！」

「デカないと意味ないやろ。あれやったら誰が見てもすごいと思うやないか。インパクトが一番や」

「そのインパクト、アタシは望んでねえよ。誰に対してアピールしてるんだよ！」

どうも価値観の相違が埋《う》まってないようだ。

「でもな、ロザリーの人生の期間って二十年足らずやろ？　しかも、長らく家に籠《こ》もってたやろ？　偉大な事績なんかもないから、言葉で表現しようとすると不利やないか。せやから、サイズで圧倒することにしたわけや」

「だから、事績を誇るつもりなんてねえよ！　ちょっとしたパーティーぐらいでいいんだよ！」

「なんでや！　二百回忌やぞ！　一生に一度のことで遠慮して後悔するぐらいやったら、悪ノリしすぎて後悔するほうがマシや！」

「お前、悪ノリって自覚あるじゃねえか！」

そういや、そうだな……。まあまあ迷惑かもしれない。

そこにナーナ・ナーナさんが入ってきた。

「それと、あの石像ですが――」


ロザリー像の目に赤い光が宿った。


「――目が発光します」

「もう、アタシと関係ないだろ！」

「夜の六時、七時、八時、九時、十時、十一時を示すので便利です」

「やっぱりアタシに関係ねえ！」

「まあ、どうせここに置いてあっても悪霊しか目にしないので影響はないですよ」

私はそのやりとりを見ながら、こう思った。

自分のこんな像が作られたりしなくてよかった……。

しかし、変な悪寒《おかん》がした。

「お姉様、お姉様～」

近くにペコラが来ていた。

今日は魔族も出席している。

たしかに魔族はサーサ・サーサ王国と国交あるし、ロザリーとも知り合いだから、来ていてもおかしくはない。

問題はペコラが余計なものを見てしまったということだ。

「あんなお姉様の石像をヴァンゼルド城にも――」

「作ったら、絶交《ぜっこう》だからね」

ムーはあれでも好意でやってるけど、ペコラの場合はすべて悪意だし。

「よっしゃ、二百回忌のメイン会場に案内するわ。こっちや、こっち」

ムーはそう言っていたが、結局、ナーナ・ナーナさんに抱えられていた。もう、魔法で体を動かせばいいと思うのだけど、そこはプライドが許さないらしい。

ぞろぞろと移動する家族の中でなぜかフラットルテのテンションが低い。

「フラットルテ、どうしたの？　飛んできて疲れた？」

「ご主人様、ここは悪霊《あくりょう》の国だからろくに食べるものがないと思うんで、それで盛り上がらないんです……」

でも、そう言った数秒後にフラットルテが鼻をくんくんやった。

「あっ！　香《こう》ばしい匂《にお》いがするのだ！　何か作ってるな！」

「せやで。生きてる奴でも楽しめるように趣向をこらしてるわ。今回は自分らも魔族らも来てるからな」

近づいていくと、ゲートのようなものができていた。

ロザリーさん二百回忌
記念会場
～次の三百回忌に向けての飛躍～

ポジティブでいいと思うけど、やっぱり何かがおかしい……。

そんなゲートの奥には、生きている者用のものがちゃんとあった。

悪霊たちがずらっと並んで、何やら出店みたいなものをやっている。

へこみが並んだ鉄板で作っているのは――ほぼタコ焼き。

「『紅《あか》き魔の宝珠《ほうじゅ》』を大量に作ってるで。『紅き魔の宝珠』パーティーや！」

タコ焼きでホームパーティーをやろうとする大阪の人の発想！

とはいえ、『紅き魔の宝珠』自体は参加者みんなにウケていた。中身もタコのものだけじゃなくて、チーズだったり、ハムだったりするので、誰でもおいしく食べられる。

「ライカ、お前はどれだけ食べたのだ？　フラットルテ様は二百八十個なのだ！」

「こういうパーティーでは数を競うのではなく、おしとやかに食べることを考えるべきですよ。我は二百六十個です」

ドラゴンの二人は相変わらず、とんでもない量を食べてるな……。

私は娘たちと『紅き魔の宝珠』を食べながら、食事ができないサンドラが飽きないように、栄養の多そうな土のところに連れていったりした。母親役もなかなか大変だ。

「うん、ここの土はいいわね。イベントがはじまるまで、ここにいるわ」

「そっか。じゃあ、サンドラはあとで来てね」

『紅き魔の宝珠』会場に戻ると、ほかの知ってる魔族や精霊、さらにはメガーメガ神様にニンタンといった神様まで来ていた。

完全にお祭りの様相だ。

「やけににぎやかになっておるのう。忘れられた古代の国とは思えんわい」

『紅き魔の宝珠』の載った皿を持ったまま、ベルゼブブが来た。

「ほんとにね。まあ、名簿を作ったのは私なんだけど、ここまで出席率がいいとは思ってなかったな」

会場を見ると、ペコラとニンタンがしゃべっていたり、月の精霊イヌニャンクと洞窟《どうくつ》の魔女エノが話していたりする。

この二百回忌会場が出会いの場として機能しているようだ。

いたずらっぽい顔で、ベルゼブブが肘《ひじ》で、私の体を小突《こづ》いた。

「何よ、ベルゼブブ」

「これはおぬしの人徳じゃ。高原の魔女アズサでなければ、ここまでのことはできんかったぞ」

「それは褒《ほ》め殺しでしょ。みんな、スケジュールが空いてたってことだよ。あるいはサーサ・サーサ王国に興味がある人も多かったってこと」

サーサ・サーサ王国のことを聞いたことはあっても、訪《おとず》れたことはない魔族もいただろう。

「それで、これだけの者が揃ったのはおぬしに信用があるからじゃ。あと、サーサ・サーサ王国の側もおぬしの知り合いならということで信用して呼んだわけじゃな」

なんで、今日はこんなに褒めてくるんだ。どうも怪しいな。

「……娘はやらないからね」

「違うぞ！　今のは純粋におぬしを評価した発言じゃぞ！　わらわのことは全然信用しておらんのかい！」

ベルゼブブに抗議されてしまったが、それは普段の行いが行いだから、やむをえないだろう。

「でも、あなた、ファルファとシャルシャが自分の屋敷に住むって言ったら、即座にＯＫするでしょ」

「世界を敵に回してもＯＫするのじゃ」

真面目《まじめ》な顔で言われた。だから信用できないのだ。


そんな話をしていると、石造りのステージに光が当たった。その光も古代魔法の一種なのだろう。

そこにナーナ・ナーナさんがムーを連れて上がる。

「皆さん、本日はロザリーさん二百回忌の会にお越しいただきましてありがとうございます。これだけ多くの方にご参加いただいて、故人《こじん》も草葉《くさば》の陰《かげ》で喜んでいるかと思います」

いや、ロザリーも普通に来てるから！　お葬式で使うような表現はおかしい！

「ご親交があった方々がこんなにいらっしゃることに、故人の生前の活躍が偲《しの》ばれますね」

親交結んだの、全員、生前じゃなくて死後だよ！

お葬式スタイルの言葉にすると全部おかしくなるから！

あの人、顔は笑ってないが、確実に悪ふざけでやっているな……。

「では、まず故人の友人代表として、我が国の国家元首のムーム・ムーム国王陛下から二百回忌に向けてのお言葉です」

ナーナ・ナーナさんがムーをステージに置いて退場した。

ムーもさすがにステージに残ると、硬い表情になる。王様は王様だしね。

ロザリーがムーのほうを見つめているのもわかった。

「え〜、本日の『紅き魔の宝珠』は最高級の小麦粉、最高級のネギ、さらに協賛の皆さんの協力もあり最高級のタコも手に入り、文句《もんく》のない出来に仕上がったかと思います」

「料理の話から入るな！」

ついついツッコミを入れてしまった……。

だが――


なんかムーが「それな」というような顔で、こっちにサムズアップした。


どうも、ツッコミを入れたことを評価しているらしい。

いや、二百回忌の場でボケるなよ。

「ええ～、ロザリーさんはうちの友達や。はっきり言うて、ずっと閉じ籠もっとったうちにとって貴重《きちょう》な友達や」

あっ、真面目な話に入った。

「この会場には、たかだか二百回忌やないか、自分は死んでからもっともっと経《た》ってるぞと思ってる連中も多いんとちゃうかな。サーサ・サーサ王国の連中は大半がそうやろ。うちにとっても同じや。二百年なんてあくびしてるうちに終わっとったわ――って、そのあくびは長すぎるやろ」

あ、セルフツッコミもやるんだ……。

「でもな、しっかり意味のある死に方をしてたら、二百回忌までの期間にもたくさんの経験ができるんや。だから、二百回忌にこうして集まれるっていうんは、ごっつい幸せなことやと思うねん。

なあ、ロザリー」

ムーがロザリーのほうを見た。

「自分も幸せやなって思ってるやろ。これからも周りのみんなに感謝しながら幽霊やるんやで。二百回忌を祝ってもらえん幽霊のほうが多いんやからな」

ロザリーが目に熱いものを光らせながらうなずいていた。

幽霊でも涙が出ることはある。

ただ、水じゃないから、地面に落ちたら消滅してしまう。

「うちも、二百回忌も二百年もあっという間に過ぎてもたけど、だからこそ、代わりと言うたらなんやけど、友達の二百回忌を全力で祝いたいと思う。死んでる奴も生きてる奴も楽しんでいけ！　それが最高の弔《とむら》いになる！　弔いというか祝いやな！　以上や！」

なかなかいい話だった。

――と、会場がやけに赤く染まった。

夕焼けには早い時間だぞ。少し開場がざわつく。

ロザリーの石像の体の部分が赤く発光していた！

しかも、「世界のロザリー」という文字が読めるようになっている……。

「おい！　死ぬほど恥ずかしいからやめてくれ！　何してんだよ！」

ロザリーが顔を赤くして抗議した。その顔にも石像の光が照りつけている。

「心配せんでも、もう死んでるから死ぬことはないわ！　どうせやったら、いろいろチャレンジして、後悔も恥も経験したほうがええで！」

「お前が後悔させたり恥かかせたりしてんじゃねえか！」

この二人も友情があるようで、けっこう噛《か》み合《あ》ってないな！

また、ナーナ・ナーナさんが現れて、ムーをステージから下ろした。

あのナーナ・ナーナさんでもちょっと感極《かんきわ》まるところがあったのか、目がうるんでいるように見えた。

「あやつ、なんだかんだで熱い奴じゃのう」

ベルゼブブが感心していた。私もそう思う。

「だね。あの像はやりすぎだけど、やる気と実行力があるよね」

司会役のナーナ・ナーナさんが「次は今日の主役、二百回忌のロザリーさんです」と呼んだ。

会場のみんなから拍手《はくしゅ》が上がる。

幽霊たちもラップ音みたいなのを出して祝福している。

「やっぱりアタシも何か話さないといけねえんだな……」

ロザリーはかなり緊張しているようだったから、私が背中を押した。

もちろん、その手はすり抜けちゃったけど。

「大丈夫だよ。ありがとうって気持ちを伝えようとだけすれば、ちゃんとみんなにも伝わるから。

ここにロザリーの敵はいない」

「そのつもりだったんですけど、あの石像造られたんで、味方のふりをしている敵はいるのかもしれません……」

たしかにありがた迷惑か！

「でも、嘆いてても仕方ねえんで、死んだ気になって行ってきます！」

「うん！　行け、ロザリー！」

ふわふわとロザリーが漂《ただよ》いながら、ステージに立った。

「え～と……ロザリーです。その……早いもので死んでからもう二百回忌ということになりました……。今後とも気合いを入れて……え～と……元気に霊をやっていこうかなと思います……」

二百回忌の記念スピーチを本人がするのはレアなので、これが正しいのか私もわからん。

「次は三百回忌に祝ってもらえるように自分でも努力します……。その頃《ころ》には、ここに来てる生きてる人の何人かは死んでるかもしれませんが……」

不吉な発言だけど、結婚式とかじゃないし、自分を祝ってもらう場だから、いいのかな……。

「み、みんな、ありがとうございます！　アタシが主催したわけじゃないけど、今日は楽しんでってくれ！」

最後は目をつぶってロザリーが叫《さけ》んでいた。

うん、言えた、言えた。

私は心からの拍手を送る。

ファルファとシャルシャ、それと戻ってきていたサンドラの娘三人も笑顔で拍手してあげていた。

ロザリー、次の百年もよろしくね。

さて、これである種、二百回忌の大事な部分は終わったようなものだけど——

司会のナーナ・ナーナさんが次のプログラムを発表した。

「続いて、ロザリーさんを祝う歌をサーサ・サーサ王国合唱団の皆さんが歌います」

変な圧を感じると思ったら、会場を霊の人たちが囲んでいた。実体を現したのか……。

「サーサ・サーサ王国合唱団の皆さんは霊独特の発声法をマスターされた、王国随一のプロ集団です。本日は歌劇『栄光と没落』の中から、『衰亡《すいぼう》』と『悔恨《かいこん》』、『すべては土に還《かえ》る』を歌っていただきます」

もう、わかりきっていることだけど、曲名が不吉。

そして、合唱団の歌がはじまった。


「「オォォォォォ……オォォォォォ……アァァァァァ……フウゥゥゥゥ……」」


背筋がぞくぞくっとした。

「思っている以上におぞましい音楽と声！」

ベルゼブブまで暗い顔になっていた。

「呪《のろ》いみたいな曲じゃのう。どれだけ元気な奴でも気力が失われていくわい」

「魔族でも、そこはそういう反応なんだ」

「魔族は暗い曲が好きなわけでもなんでもないぞ。残虐《ざんぎゃく》な歌詞の歌とかあるが、そういうのは曲調が激しいから真逆じゃし」

たしかにこの曲に勇《いさ》ましい要素は一切《いっさい》ないな。

家族たちもだいたい落ち込んだ顔をしていた。

ライカとフラットルテまで『紅き魔の宝珠』を食べる手が止まっている。

「食欲がなくなりました……。やけに虚脱感があります……」

「もう、ちっとも食べたくないのだ……。むしろ、吐《は》き気すらするのだ……」

効き目が抜群すぎる。

まあ、この歌が終わればまたイベントは盛り上がるだろう。

――そう思っていたのだが、歌は三十分後も続いていた。


「「オォォォォォ……オォォォォォ……アァァァァ……フウゥゥゥゥ……」」


会場がどんよりしたムードに包まれている。

娘たちは木にもたれかかって眠ってしまっていたし、ハルカラは草むらに隠《かく》れるように体操座りをして小さくなっていた。

あまりにも威力が強すぎる！

さすがにやりすぎな気がしたので、ムーのところに言いに行った。

「ねえ、ムー、どうにかならないの。これ……？」

「もう、イベントをどうするかとか、どうでもようなってるわ……」

ムーも死んだ魚の目をしていた。

死者の王国の王にまで効いている！

そこにふらふらとナーナ・ナーナさんがやってきた。

こちらも顔が見えなくなるほど、頭を下げていて、ガチの悪霊っぽさを出している。

「アズサさん、申し訳ありません……。合唱団の歌の力が強すぎて、意欲という意欲が以降のプログラムの参加者からも奪われてしまったので、この歌が終わり次第、適当に飲み食いして自由解散ということにしてもらえますか？」

「それはしょうがないけど、プログラムの組み方、ミスってるでしょ！」

「これほど本格的に合唱団が歌うことは長らくなかったもので……。彼らも心が沈む歌にしようと全力を尽くしたようです」

全力を尽くさないでほしかった。

結局、歌がすべて終わった頃には、生きてるメンバーも含めて大半の参加者が、椅子《いす》やそのへんの地べたに座って悪霊みたいな顔をしていた。

ただ、例外も少しはいた。

まず、ニンタンとメガーメガ神様の神二人。

「神には死者の嘆きなど恐れるほどのことはないぞ」

「皆さんは影響を受けて大変ですね～。だけど沈んでるからこそ、上に浮かべます。前向きに考えましょう」

やっぱり、神様には効かないのか。

あと、芸術家二人は創作意欲を刺激されたらしかった。

クラゲの精霊のキュアリーナさんがひたすら絵を描いていた。

「すべてが死に絶《た》えそうになっているが、終わってはいない、だからこそ吹っ切れた明るさもない、そんな世界を知れました。クラゲゲゲ！」

鬼気迫《ききせま》る表情でどんどん絵を作っている。貴重な経験ではあるのだろう。

それと、ククも思いついた曲をやけにメモしていた。

「いいですね。今までにないスケールの曲になりそうです。新境地になります！」

元々暗い人には効かないのか！

いろいろ課題もあったものの、ロザリーの二百回忌のお祝いは行われたので、よしとしよう。

やる気がなくなった人たちの体をロザリーの石像が発している赤い光が照らしていた。

直接的に恐ろしくはないんだけど、目が覚《さ》めたあと、なんか不安になってくる系の夢みたいだな……。

◇

だが、私たちの知らないところで、二百回忌のイベントで問題が起きていたらしい。

後日、洞窟の魔女エノが高原の家に立ち寄った時に、こんな本を持ってきた。エノもあのイベントに出席していた。

その本の名前は『続 旧《ふる》い支配者の廃墟《はいきょ》』というものだった。

「どこかで見たことのある内容だな……」

「冒険家が前作で恐怖体験をした土地を訪れたら、また新しいものに遭遇したという内容のようです。おそらく、サーサ・サーサ王国のことなんですよね」

私は気になって、ページをめくった。

――私は以前、自分の知るいかなる文明とも異なる、奇怪な箱型建造物の並ぶ廃墟を訪れた。訪れたというより、偶然にたどりついてしまったというほうが近い。そこは生物が生きるにはあまりにも冷涼であり、さらに名状しがたき冒涜《ぼうとく》的な動物が咆哮《ほうこう》を上げていた。

奇跡的に生還を果たした私だったが、どうしても再びあの忌まわしき異郷を見たいという思いに駆られ、あの土地を目指《めざ》したのだった。

「こういう人って、どうして再び目指しちゃうんだろう?」

そこでやめておけば問題も起こらないのに……。

「先輩、仮にそこでしか見たことのない貴重な薬草があったら、行きたくなりますよ」

「そこはエノのプロ意識だね……」

さて、続きを読もう。

――だが、私の試《こころ》みは何度も失敗に終わった。密林の中の道は私を嘲笑《あざわら》うように、見当はずれなところに私を導いた。元の何の変哲《へんてつ》もない、鄙《ひな》びた集落に戻ってしまうことが繰り返された。集落の住人に尋ねても、誰一人道を知る者はいなかった。

うん、普段は誰も入れないようにサーサ・サーサ王国は魔法をかけているからね。

――しかし、何度目かもわからない挑戦のすえ、ついに私はまたあの土地と思《おぼ》しきところにたどりついたのだった。

だが、我々とは異なる美的感覚から作られたあの箱型建造物を目にする前に、私はめまいを起こすようなものと出合ってしまった。

まるで天を貫くことを目的としているかと思うほどに、高くそびえる少女の石像だった。

ロザリーの石像に出合っちゃってる！

「先輩、あの時、ロザリーさんの二百回忌の参加者が来られるように、魔法が解かれていたんですよね。それでこの人、入ってきちゃったんじゃないですか？」

「うん、エノの指摘で当たってると思うよ」

また、タイミングが悪いところに来たな。しかし、一般の人が紛《まぎ》れ込《こ》んでるなんて話は聞かなかったし、逃げてくれたのだろうか。

それは先を読めばわかるか。

――私は無数の疑問に押しつぶされそうな気がした。このようなところに、かくも巨大な少女の像が造られた――規模からするに、打ち建てられたと表現するほうが正しいのだが――理由が皆目《かいもく》わからないのだ。それは私が目にしたことのある人型の人工物の中で間違いなく最大のものだった。

しかも、その少女の巨像は獣が人を威嚇《いかく》するように、両腕を振り上げているような格好をしており、少女の可憐《かれん》さを伝えようとする意図など毫《ごう》も持ち合わせていないのである。

ロザリーの石像に混乱している！

――私は呆然《ぼうぜん》とその少女の巨像を見上げるしかなかった。この像は何を意味しているのか。試みにスカートの下に入り、見上げてみたが、そこは造形を省略しており、無骨な岩肌があるだけだった。

「何してるんだ、この人！」

「スカートの中をのぞくということにまで、未知の文明発見同様の強い探求心を燃やしていたんですね」

「なんだ、その解釈！」

——すると、その少女の瞳《ひとみ》が赤色《せきしょく》に発光した。さらに体も発光し、周囲を照らしはじめた。

私は慄然《りつぜん》とその像を見上げることしかできなかった。

恐怖により、私は逃げることもせず、考えをめぐらせていた。もしや、この像は外部からの侵入者を告げるための警備兵の役割を果たしているのだろうか。しかし、それにしては像そのものが巨体すぎる。いや、それ以前にこのような巨像なら密林の中でも目につくはずだが、記憶にもない。

この像はいかなる意図でこの場に存在しているのだろうか。答えをくれる者は現れなかったが、幸いと言うべきか、私を攻撃する悪意を持つ者もまた姿を見せなかった。ただ、巨像が赤い光を示すだけであった。

像を造ったのは、「なんかかっこよさそうだったから」ぐらいの理由だと思います。

目が光る意図は、「なんかかっこよさそうだったから」ぐらいの理由だと思います。

――以前のような死を覚悟するほどの寒さを感じることはない。いよいよこの廃墟の全容を確かめることができるかもしれない。私はそう期待に胸を打ちふるわせて、先へと急いだ。
だが、ほどなくして、私は耳をふさごうと躍起《やっき》にならねばならなくなった。
不可思議でおぞましい歌がどこからか響いてきたのだ。

「合唱団の歌を聴いちゃってる！」

――それははたして歌なのだろうか。とても動物の咽頭《いんとう》から出ている音とは思えないのだが、羽音や木々の葉がかすれ合う音でもない。たしかに人為的な旋律《せんりつ》を成している。
数秒も耳にすれば、私の冒険心は渇ききったように萎《な》えてしまい、前に足を踏み出すこともできなくなり、膝《ひざ》を突いてしまった。それほどまでに、生きている者すべて徹底して侮辱するような、冒涜的な音楽であった。旋律だけでなく、音の発せられ方からして、意気をくじくに十分な力を持っていた。

ああ、そりゃ普通の人があの歌を聴いたら、怖くなるよね……。

――私は落涙《らくるい》しながら這《は》うようにして、音楽から離れる側に帰るしかなかった。それ以上、竦然《しょうぜん》と目を両の手で覆《おお》い隠し、立ち尽くしていれば、命を落とすまで身じろぎもできなかっただろう。

その時、私は自分の陰になるものを感じ、見上げた。

少女の巨像が矮小《わいしょう》な私を威嚇するようににらみつけている。

その時、私はすべてを理解した。

これは巨像ではない。巨人なのだ。

人という種族ではないにしても、みずからの意志でこの場に立っている。石でできているように見えたからといって、それが生物でないという根拠にはなるまい。

人が立ち入るべき場所ではない、そう巨人に警告されていると感じた私は二度と振り向くことなく、森を後にしたのだった。


「結果的に、あの歌が侵入を防いでた……」

私はその本を閉じた。

余計なトラブルにならなくてよかった。それにしても、あの古代文明、ちょくちょく冒険家が来るから、気をつけたほうがいいな。

天井《てんじょう》から視線を感じると思ったら、ロザリーがいた。その本を読んでいたらしい。

「姐さん、アタシ、獣みたいに書かれてるんですが……そんなに怖いですかね？」

「いや、びくびくしてる時に下から見上げたら、何だって怖く見えるから……」

あの石像は取り壊してもらうように、ムーに言っておこう。

「ところで、エノはこの本の報告のためだけに来たの？」

「いえ、実は新しい薬を開発したんです」

エノはドヤ顔でビンをテーブルに置いた。

そのビンにはこんなラベルが貼《は》ってある。

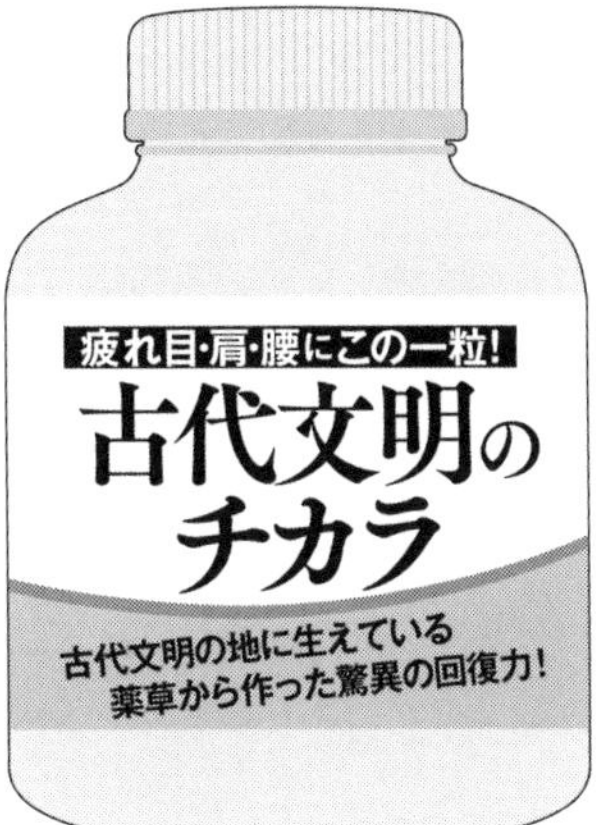
疲れ目・肩・腰にこの一粒!
古代文明のチカラ
古代文明の地に生えている
薬草から作った驚異の回復力!

「どうですか？　サーサ・サーサ王国訪れた時にしっかりと使える薬草がないかチェックしてたんです！　なにせ、ずっと人が入れなかった場所ですからね！　植物も独自進化してるんですよ！」

「いや、この商品名はダメだから！　場所が知れ渡る危険があるから！」

あとでエノに商品名は変更させせました。

やはり、サーサ・サーサ王国に人を呼びすぎたのはまずかっただろうか……？

ちなみに、その夜、「古代文明のチカラ」を目にしたハルカラが、「おのれ！　こっちも新商品を作らねば！」とやけに意気込んでいました。

山城でハイキングをした

She continued destroy slime for 300 years

夕食後、ダイニングでずっとシャルシャが一冊の本にかじりついていた。

あくまでも熱心に読んでいるという比喩《ひゆ》で、本当にかじっているわけではない。過去に一回ぐらい、酔っぱらったハルカラが本をかじっていたことがあるけど、そういう意味ではない。

「シャルシャ、何を読んでるの？」

シャルシャ用にいれたお茶をテーブルに置いて、私は尋ねる。

「こんな本を読んでいる」

シャルシャが開いているページを見せてきた。

そこには山の上にそびえる小さな石造りの城の絵が描いてある。

「あれ、シャルシャ、お城に興味あるの？　じゃあ、ヴァンゼルド城に行こうか？」

ベルゼブブも喜ぶと思うし、ちょうどいいんじゃないだろうか。きっと有給休暇をとってまで熱心に解説をしてくれるはずだ。防衛上、機密になってることまで教えちゃいそう。

「母さん、ヴァンゼルド城のような城とは異《こと》なる」

「えっ？　どういうこと？　私には同じようにしか見えないけど……」

「わかった。誰《だれ》にでもわかるように易《やさ》しく説明する」

シャルシャがその本の違うページをめくる。

そのページにはヴァンゼルド城のような巨大な城と、山のてっぺんにひっそりたたずむ城が描いてあった。

「ヴァンゼルド城はこの平地にある城のほうに当たる」

「うん、それはわかるよ」

「これは専門用語で『平城《ひらじろ》』と言う。領主が自分の拠点の支配に築《きず》いた、統治のための意味合いが強い城」

「ふんふん、なるほど、なるほど」

「一方で、こっちの山にあるのは専門用語で『山城《やまじろ》』」

専門用語にしては、けっこうそのまんまなネーミングだな。

「『山城』は昔の領主同士の争いの最中に築かれた、戦闘志向の城。サイズももちろん平城より小さいし、今は訪れる人もなく、荒れているところも多いが、その分、歴史のロマンを感じさせる」

「へえ……。で、シャルシャはその山にある城がいいってことなんだね？」

あまり表情に出ないシャルシャでも、熱心さでだいたいわかる。

「そう。山城に行ってみたい。とくに、このタキダーン城というところがいい」

今度、シャルシャが開いたページは山の上に古代遺跡みたいに、石垣みたいなものがずっと続いている絵だった。そこにうっすら雲もかかっている。

「へえ、これはたしかにかっこいいね！」

「城好きの中でもとても評価が高い。素晴《すば》らしさは絵を見ただけでもわかる。……でも、難しい」

シャルシャの顔がそこで曇った。

「このタキダーン城はとても険《けわ》しい。優秀でない冒険者程度だと、力尽きて途中で諦《あきら》めるという……。

シャルシャだけでは行けない」

「それだったら、ライカやフラットルテに乗って、それで城の上から私が下ろしてあげるよ」

うちの家族が行けないところはほぼない。無理なのは宇宙ぐらいじゃないだろうか。

「それでは、意味がない」

シャルシャが首を横に振った。

それから、こう続けた。


「険しい山城に自力で登るからこそ意味がある。楽をして城に到着しても、実感が湧《わ》かない。ロマンがない！」


シャルシャがやけにアツい！

「山城は戦闘目的で築かれたものが大半。ならば、険しく、城の中枢部に到達しづらいのもまた立派な特徴の一つ。ライカさんやフラットルテさんに乗って、一気に行ってしまうのは本末転倒」

「シャルシャらしい論理的な説明だ！　目的地に行くまでの過程が大事ってことだね」

まあ、気持ちは私でもわからなくもない。

たとえば、一秒後に旅行先に着けたら楽ではあるだろうけど、気分は盛り上がらないだろう。私の空間転移魔法はそんなかけ離れたところには移動できないから、経験したことはないが。

私はそのタキダーン城のページを見る。

行き方

ソルディクラ州の王女街道の町プリキアから路線馬車フッサ寺院前行きに乗り、終点下車。路線馬車ナゴディン山行き乗り換え、タキダーン町下車。徒歩三時間でお城到着。

途中、野生動物や野生モンスターに注意。


読むだけで、辺鄙《へんぴ》なところにあるのがわかる……。

これはシャルシャ一人で行かせるのは少々大変そうだ。だいたい、ソルディクラ州が遠い。お城に上るところまではライカやフラットルテに連れていってもらったとしても、単独行動は危《あぶ》ないかな。

それでも、私か、ドラゴンの一人かが同行すれば何も問題ないので、行くこと自体はどうとでもなる。

ただ、せっかくだし、みんなでハイキング気分で行ってもいいんじゃないかな。

――というのも、そのページの末尾《まつび》にさりげなく、整備に関《かか》わった冒険者のことが小さい字で書いてあったのを見つけたのだ。

「シャルシャ、おそらく大丈夫だと思う。少し準備をしておくから待っていてね」

ぽんぽんとシャルシャの肩に手を置いた。

私はライカに乗って、シローナの家に向かった。

今回は幸い、どこかに出かけてなかった。というか、実は今後数か月のだいたいの予定表をもらっていたのだ。そのあたりけっこうツンデレだと思う。

私はシローナに、シャルシャがタキダーン城というところに行きたがっていることを伝えた。

「お姉様が⁉ それは手取り足取りガイドします！ 一生の思い出にするぐらいのつもりでガイドします！」

「そこまでの熱意は求めてないけど……」

とはいえ、ガイド役はシローナで決まりだとは思う。

「シローナがこのお城の整備にも関与してたんだね」

シャルシャの本にシローナの名前がすごく小さくだけど書いてあったのだ。

お城そのものの解説とは関係ない情報だし、シャルシャは見落としていたのだと思う。

「ええ。遺跡は放置していると、崩壊《ほうかい》するものもありますから。そこに人が迷い込むと危険ですし、盗賊やモンスターの住処《すみか》になってしまうおそれもあります。なので、手を入れる必要があるのですが、その時に冒険者が活躍するのです」

たしかに広い意味でのダンジョンだから、そのままにはできないか。

「こちらはこちらで古い城跡から貴重《きちょう》なアイテムを発見することもありますし、旨味《うまみ》はあります。

考古資料はちゃんと寄贈しますけどね」

そっか。お城ならお宝が眠っていても不思議はないものな。

一緒に来ていたライカもとても熱心にシローナの話を聞いていた。

さらに、タキダーン城の専門的な質問をしたりしていた。

「こういうお城って戦闘時はどれぐらいの兵士が詰《つ》めていたのでしょうか？　素人《しろうと》の質問で申し訳ないのですが」

「ええと……それは今度会うまでに調べておくわ……」

「あと、こういうお城って、山からドラゴンが火炎放射したりすると、一気に落ちてしまう気がするのですが、そういう対策はどうされていたのでしょうか？」

「ええと……それも今度会うまでに調べておくから……」

整備をしてるからといっても、研究者じゃないからわからないこともあるよね。

「と、とにかく、タキダーン城のことはお任せください！　お姉様のために一肌脱ぎます！　それと、わからないことも調べておきます！」

よし、ガイド役は決まったぞ。

◇

数日後、私は全員が揃《そろ》っている夕食の時間にこう言った。サンドラも呼んでいる。

「今度、家族みんなでタキダーン城にハイキングに行こうと思います。お城に詳しいシローナがガイドをやってくれます」

そう、どうせなら家族みんなでハイキングということにしてしまおう。

いかにも家族らしい試《こころ》みだし、いいんじゃないだろうか。

私も山城に興味はないが、ハイキングなら楽しめる！　ほかの家族も楽しめる！

シャルシャは目をキラキラ輝かせている。

ファルファも「わーい！　ハイキングだー！」と無邪気《むじゃき》に喜んでいる。

娘たちが笑っている時点で成功である。

ライカも元々興味があったらしく、かなり乗り気だ。

ただ、全員が楽しそうというわけではなかった。

「あっ……わたしはパスで……」

ハルカラが弱々しく手を挙げた。なんで……？

「えっ？　ハルカラはこういうの苦手？　たしかに野生動物が出没する場所ではあるけど、この家族で行動すれば危険もないと思うしさ。たまには体を動かすのもいいんじゃないかな」

「そこ、お城に着くまで森や山の中を歩きますよね」

「そりゃ、山にあるお城だからね」

「つまり、わたし一人遭難するおそれがあります！」

「エルフの言葉じゃない！」

エルフが森を恐れてどうする。むしろ、案内してくれる側だぞ……。

「いやあ、慣れない森はよくはぐれて、迷うんですよ。つい、道の外側にあるキノコが気になって採取してたりしたら、いつのまにかみんなの姿がなくて、登山道もわからなくなって……ということになる自信があります！」

そんなところで自信を持たないでくれ。

「でも、ありえそう……。普通に遭難されそうな気はしてきた」

ここまではっきりと自分は危ないと言ってる以上、無理強《むりじ》いはできないな。

それと、サンドラも見るからに嫌そうな顔をしていた。

「サンドラも好きじゃないの？　歩くのが大変ならおんぶしたりしてあげるよ」

「このあたりの植物って嫌な奴《やつ》が多いのよ。性格が悪いのが根っこに現れてるわ」

「そういうものなんだ……」

どんな根っこが性格の悪いものか謎《なぞ》だが。

「しかも、頂上に行っても石があるだけでしょ。私は石の間に生えるような種類でもないし、興味ないかな。石にもどうせコケの奴らがへばりついてたりするんでしょ？」

「まったく感情移入はできないけど、そんなに嫌だったら留守番でいいよ……」

家族揃ってハイキングに行くの、予想以上に難しい。

「ほかのみんなはいいよね？」

「山で暴《あば》れてストレス解消するのだ！」

「フラットルテ、山で暴れるのは禁止ね」

遺跡を破壊しちゃったりするとシャレにならない。

「でも、城ってことは防御のために作った場所ですよね。それって攻撃してこられるものならしてみろよって意思表示なんじゃ――」

「そんなことはない」

それと、もう一人、目的意識が違う子がいた。

「廃城ってことは死んだ兵士の悪霊《あくりょう》なんかもいるかもしれませんよね。姐《ねえ》さん、アタシも楽しみです」

「心霊スポット感覚⁉」

いや、ロザリーからしたら心霊スポットというか、誰かいるかもしれないスポットってことなんだろうけど。

「戦争やってた時代でないと、剣で斬《き》り殺される奴や矢が刺さって死ぬ奴ってなかなかいませんからね。そういう話を聞けるのは新鮮ですよ」

「そんな話、永久に聞きたくないわ」

怖い話も痛い話も私は苦手だ。

しかも幽霊《ゆうれい》から聞くと、作り話じゃなくて、完全に実話だし……。

まあ、それぞれの目的は異なっていてもいいや。

こうして、タキダーン城ハイキング自体は決定しました。

◇

私たちは途中でシローナと合流し、ソルディィクラ州のタキダーンの町へやってきた。

町のすぐ裏手になかなか険しそうな山がそびえている。

「はい、今日はワタシ、シローナがあなたたちのガイドを務めるわ。山は迷うと危険も多いので、注意はちゃんと聞くこ――」

「あっちでブドウが売ってたのだ！　直売だから安いのだ！」

「そこのブルードラゴン、説明は聞いて！」

この家族を一つにまとめるのって、今更ながらものすごく難しい気がしてきた。

「まず、簡単にタキダーン城の歴史を話すわ。地元の地誌や歴史書を何冊も読んでまとめてきたから、心して聞きなさい」

シローナ、こういうところは手を抜かないな。性格にトゲはあるが、真面目《まじめ》な子だ。

「この城は十五諸侯時代に建てられたの。小さな地元領主が建てたにしてはお城が立派すぎるので、付近の有力者が防衛のために築いたとされてるわ。深き池の戦いの時に、このお城も争乱の舞台になり、お城の兵三百人は全滅したというそうよ」

「つわものどもが夢の跡ですね……」

ライカがそうつぶやいたけど、その言葉、こっちの世界にもあるんだ……。

あと、シャルシャはメモをとっている。詳しいガイドがいて、よかったね。

「今でも無念にも死んでいった兵士の霊が出てくる、地元ではそう言われているわ」

「おっ、そんな昔から住みついてる霊は珍しいから、話を聞きてえな」

ロザリーのテンションがみんなとは違うところで上がっている。

「それと、あなたたちなら問題はない気がするけど、念のため言っておくわ」

シローナが近くの看板を指差した。

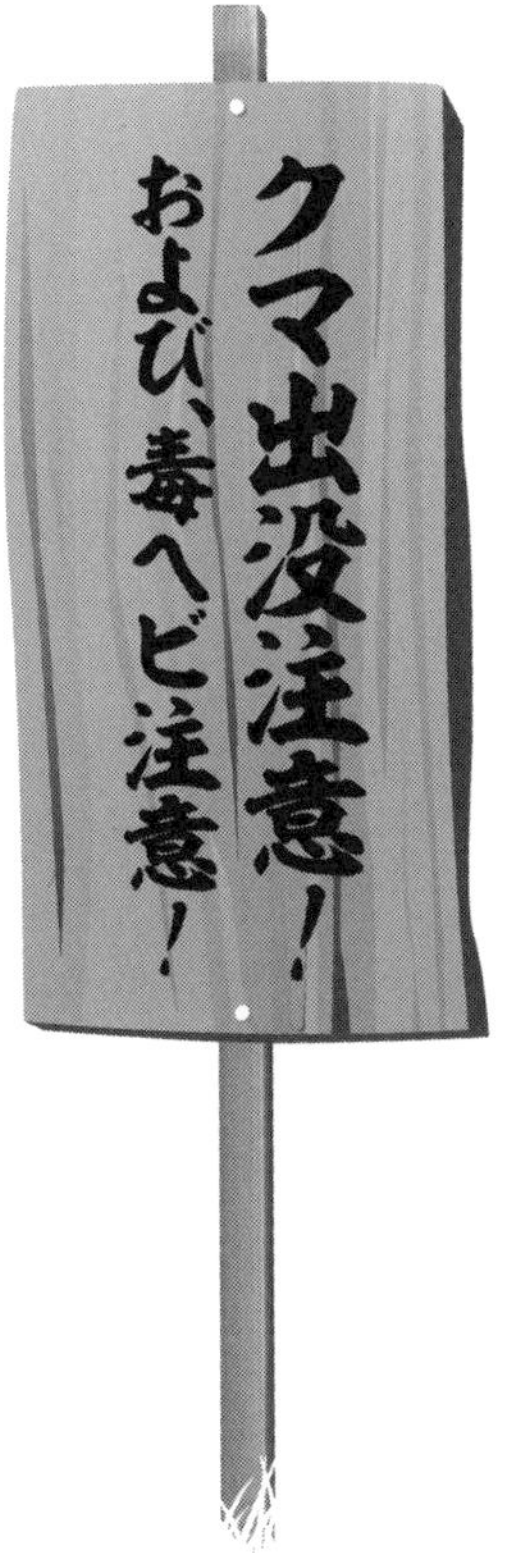

「このあたりの山はクマも毒ヘビも出るわ。くれぐれも気をつけてね」

「クマは臭味《くさみ》がけっこう強いが、フラットルテ様はそれもまたおいしいと思えるぞ」

「調理上の注意をしてるんじゃないわよ！」

シローナが真面目にガイドをしてくれてるのがわかる分、申し訳ないな……。

「まあ、注意はしたわ……。じゃあ、お城まで登っていくわよ。この道は城を攻める時に敵兵が使ったとされてる道でもあるの」

いよいよハイキングスタートだ。

それなりの長丁場になるはずだけど、楽しく山登りしよ——


ドラゴン二人がすごい勢いで駆けあがっていった。


「この程度の山なら十分かからないのだ！」

「フラットルテは動きに無駄《むだ》が多いですよ。そんなに足を上げなくても進めます。それではそのうち疲労がたまってしまいます」

「ふん、ライカはこざかしいな。フラットルテ様は疲れる前にゴールするから何も問題ないのだ！」

もう、相当上まで進んでいる！

「二人ともストップ、ストップ、ストップ、ストップ！」

私は大声で二人を止めた。

「ご主人様、もしかしてライカがフライングしてましたか？」

「我はそんなことしていません。ですが、アズサ様が審判をされるというのであれば、それには従います」

違う、根本的に違う。

「宿駅伝ではライカと勝負できなかったので、ここで決めようと思ったのだ」

「どちらもこの城を知らないということでは条件も同じ。雌雄《しゆう》を決するにはちょうどいいですからね」

宿駅伝のこと、引きずってたのか。しかし、どっちが先に着くか勝負って、仲のいい小学生男子みたいだな。

「あくまでも、ハイキングだから！　順位を競うわけじゃないから！　みんなでゆっくり歩こう？　ねっ？」

あと、口には出せないけど、本当に十分以内にお城に到着しましたなんてことになると、シローナの存在意義がなくなってしまう。

ここはシローナにガイドをしてもらいながら歩くということにしたい。

「そうですね！　一歩一歩、踏みしめながら歩くことで得られるものもあります！」

ライカはすぐ納得してくれたが、シローナはすでにあきれていた。

「だから、ドラゴンは苦手なのよ……。こっちが自分の無力さを思い知ったりするから……」

たしかにドラゴンはいろいろと破格だ。

改めて、私たちはハイキングを開始した。

私は親として、娘二人に注意を配る。ていうか、親じゃなくても、ほかのメンバーが注意する必要なさそうな人材ばかりというのもある。

シャルシャは無言で黙々《もくもく》と道を上がっていく。

「シャルシャ、あまり急ぐと後でばてちゃうよ～。もっと、ゆっくり歩くほうがいいよ」

ファルファがシャルシャに声をかける。お姉ちゃんとして気になったようだ。

「タキダーン城を攻めた兵士も、きっとこんなふうに急ぎ足で登ったはず。ハイキング気分でなかったことだけは確実。昔の兵士たちに想《おも》いをはせたい」

「気持ちはわかるけど、ペース配分を間違えたら、危険だよ～。根っことか石とか、つまずくものも多いよ～」

「忠告は胸にとどめておく――――あっ！」

まさにその時、ちょっとシャルシャがつんのめった。

段差に足をとられたらしい。ほら、言わんこっちゃない！

そこをさっと、ファルファがシャルシャの腕をつかむ。

「ねっ？　危ないでしょ？」

「……うん、以後気をつけたい」

おっ、ファルファもしっかりとお姉ちゃんをしている。

この様子なら私がそこまで気をつけなくても大丈夫だな。

だけど、娘二人のハイキングの様子を目に焼きつけておきたいから、やっぱりじっくり見ておこう。

先頭はドラゴン二人だ。先に行きすぎない程度のペースで歩いている。

「ちゃちな道だな。こんなの、空を飛べばすぐにゴールなのだ」

フラットルテは素で不思議そうな顔をしている。

「これでも空を飛ばなければ険しいんです。高所から矢が飛んできたり、石が飛んできたりして、高難易度なんです」

シローナがドラゴン二人の後ろを追いながら解説をする。

「そういえば、シローナさん、空からドラゴンが炎を吐《は》いたりしてくる場合はどう対処したんでしょうか？」

ライカとしては、そこが気になるらしい。レッドドラゴンからすると、城の防御力がやけに低く感じるのだろう。

「それについても調べました。この土地ではあまりドラゴンが戦場で活躍しなかったんです。ドラゴンが住んでる土地も州にありませんしね。あと、山上ではドラゴン対策で雷の魔法を使う魔法使いを配置していたそうです」

「なるほど。雷はドラゴンにとっても恐怖の対象ですからね。大ダメージになります。シローナさん、ご説明ありがとうございます」

「それは体力のないドラゴンにとって危ないだけなのだ。フラットルテ様なら数回雷が落ちても平気だぞ！」

体力でカバーするのは反則《はんそく》だと思う。

そんな声がジグザグに上へ上へと上がっていく、つづら折りの道の上から聞こえてくる。

ハイキングらしいといえば、らしい。

「しかし、姐さん、こんな山の上に城があったら、生活するのも大変そうですね」

私の横をロザリーが浮いてついてくる。

「そうだね。そのあたりのことはシローナが詳しいと思うから聞いてみて」

ちょっとシローナがドヤ顔になった気がした。ガイド役だもんな。

「お答えしましょう。こういう山の上の城は生活空間ではないのです。敵が攻めてきた時に立ち向かうためにたて籠もるもので、普段はふもとで生活していたんですよ」

「ふうん。こんなところを行ったり来たりしてたのか。昔の兵士も大変だったんだな。まあ、険しい以外は普通の道だけどよ。クマもヘビもいねえようだし」

野生動物はドラゴン二人にビビって逃げてるのかも。

これは戦ったらダメな相手だって本能で気づきそうだし。

と、フラットルテの口から変なメロディが聞こえてきた。

「ブルードラゴン、強いドラゴン〜♪　なんでもかんでも凍らせるのだ〜、偉いのだ〜♪」

歌を歌うことで、クマに気づかせて出てこないようにする登山の知恵！

フラットルテ、無意識にそんなことをやっているのか。

「クマやヘビがいきなり出ないよう、事前に下調べもしてるんです。あくまで、今日は冒険者の仕事ですからね」

おっ、シローナも気配りをしてくれているんだ。

「ですが、動物のことですから、どこかに隠《かく》れていたりするかもしれません。注意はしておいてくださいね」

「シローナさん、すごい！」

「職業意識の高い行動。見事」

娘二人がシローナを褒《ほ》めた。

「いやあ、ワタシなんてまだまだですから……。お姉様の恥にならないよう、さらなる高みを目指《めざ》していきたいです……。今日は楽しんでいってくださいね」

私と話す時と態度が違いすぎる……。

少しずつ上に上がってくると、シローナによるお城の解説がはじまった。

「ここは一見、何の変哲《へんてつ》もない山の平坦《へいたん》地のようですが人工的に平たくならしたものです。ここに兵士を駐屯《ちゅうとん》させたんですよ」

シャルシャがすぐにメモをとる。

「この台地の地形からだと、上がってくる敵に矢を射《い》かけることも簡単ですよね。こうやって、敵を殲滅《せんめつ》するための場所なんです」

「合理的。やはり、有名な山城だけあって、技巧がこらされている」

「でしょう？　しかも、この平坦地に入ってくる時に、一回横に道が曲がってますよね。これは敵が走ってなだれ込んでこられないようにわざと曲げているわけです。勢いが弱まったところを槍兵《やりへい》などが攻撃できますから」

私も勉強になる。

この世界の歴史をそんなに学ぼうとしたことはなかったんだよね。

「それだけのことをしても、ここの城の兵士は全滅したんですね。過去のこととはいえ、悲惨ですね」

感受性の強いライカが寂《さび》しげな顔をした。

「ライカさん、そういった過去の悲しい歴史に想いをはせるのも城巡りの醍醐味《だいごみ》。それでいい」

シャルシャがうんうんと深くうなずいていた。

わかりあえるところがあったらしい。

「なんか、人間は面倒なことばかり考えるんだな」

フラットルテは案の定、つまらなそうな顔をして聞いていた。

「フラットルテ、あなたも少しは歴史を勉強したほうがいいですよ。人生がもっと面白《おもしろ》くなります」

ライカがなかば諭《さと》すように言った。

「いや、だって、この城って、このへんの有力者の本拠地じゃないだろ。こんなところ、スルーして本拠地を攻撃されそうなのだ。アタシならそうするぞ」

思ったよりも鋭い指摘な気がする。

「そういうことはできないものなの。ガイドとして説明するけど、拠点を無視して先に進むと城から下りてきた敵に背後から攻撃される危険があるから、城に上がって倒すしかないのよ」

「わからなくもないけど、こんなに山の上にあったら、その前にふもとの町を焼き払われて、撤退されたりしそうなのだ。もっと中腹にあったほうがいいのだ」

「いや、そんなすぐに焼き払ったりできないの。だから、下りても間に合うの。そういうものなの!」

フラットルテからのまさかの質問に、シローナが少し困惑している……。

「はいはい、次に行くわよ! こうやってお城の防御の遺構が現れはじめてるっていうことは、もうお城の中心部分のある頂上まですぐ。はりきって登るわよ!」

私たちはまた移動を開始した。

シャルシャが自分の腿《もも》を軽く、ぱんぱん叩《たた》いた。

気合いを入れてラストスパートに入ってるな。

うん、しっかり勉強してね。

シローナの言葉どおり、私たちはまもなく、頂上の建物跡が残るエリアにやってきた。

「おお、石の壁が並んでる。本当に古代遺跡みたいだね！」

これはガチの観光地だ。山城に興味がない私でもテンションが上がる。

私たち以外にも冒険者に付き添《そ》われて上がってきている観光客がいるぐらいだ。

「でしょう、義理のお母様。このタキダーン城は世界に名立たる立派な城なんです。遺跡がかっこいいだけでなく、優《すぐ》れた防御設計、さらに兵士が全滅したという悲哀《ひあい》の歴史も含めて、何もかも完璧《かんぺき》です」

シローナも自分のことのように得意になっている。

シャルシャは周囲を走り回って、さささっと作図をしていた。

本にも描いてあるとはいえ、やっぱり自分でもやりたいものなんだろう。

ファルファは「いい景色ー！」と、頂上の中でもさらに眺めのいいところから、ふもとの町を眺めていた。

うん、正しいハイキングになった。よかった、よかった。

ただ、あくまでも山城ハイキングなので、シローナはお城の構造や防御の仕方について、シャルシャやライカに語っていた。

「たとえば、ここを敵兵が攻めてきても、あそこの見張り台とあっちの見張り台から矢で攻撃されてしまって、ひとたまりもないのです。よくできていますよね」

しかし、ライカはどうも素直に納得がいってないらしい。

「どうですか？　こんな城、どうやって落とせばいいんだろうって頭を悩ませるでしょう？」

「そうですね……もし、我なら……」

ライカは困ったような顔をして、こう答えた。


「やっぱり、上空から炎を吐いて焼き払いますね」


ライカの目は山城の復元図の看板に向けられている。

「いやいやいや！　だから、雷を使う魔法使いが設置されてるからドラゴンも大丈夫なんですって！」

シローナがそれは反則だというように否定《ひてい》した。

うん、魔法使いがいるってことはさっきも聞いた気がする。

「たしかに、遠くからドラゴンがゆっくりと飛んでくれば狙《ねら》うこともできるでしょうが、我が中腹あたりからいきなりドラゴン形態になって飛び上がったら、雷を落とす前に城の範囲を焼き払えます。それが最も早く決着させる手かと……」

ライカも申し訳なさそうだから、シローナが嫌がるだろうなということはわかっているようだ。

「ですが、もし城を落とすならと聞かれたので……ドラゴンが来てはダメという縛りもないので、そう答えました……」

「うんうん、フラットルテも同じ意見なのだ」

フラットルテがライカの肩を持った。

「これなら、コールドブレスですべて凍らせれば、勝ちなのだ。山上に籠《こ》もるなんて自殺行為だな。効率よく凍らせられるぞ」

「だ～か～ら～、そんなことしたら、雷で――」

「雷一回や二回なら我慢してコールドブレスを吐けるのだ！」

フラットルテが断言した。

「それに、ドラゴンを一撃で雷で倒せるようなクラスの魔法使いなら、もっと最前線に出して、敵を倒すのに利用するべきなのだ。宝の持ち腐《ぐさ》れなのだ！」

思った以上に正論！

シローナはかなり面倒くさそうな顔をしていた。

「はあ……もういいです……。あなた方ドラゴンは山城のロマンというものがわかっていませんね」

なんか、シャルシャみたいな発言だ。シローナもけっこうなお城ファンだな。

「もしドラゴンがいたら、そうなったかもしれませんが、このタキダーン城の兵士三百人は敵に攻められて全滅したと昔から伝承があるんです。タキダーンの町の古老もそういうふうに伝えてますし。責任を持って、ワタシが聞き取り調査をいたしました！」

「ああ、それなんだけど、違うみたいだぜ」

今度はロザリーか！

「この城、全滅したにしては悪霊がちっともいなかったんだ。落ち兵士の霊が何人かはいるはずなのにさ」

この世界にも、落ち武者《むしゃ》みたいな概念があるんだ！

「それで、そこに、このあたりを長く浮遊してる霊がいたから聞いてみたんだけどさ、ここの兵士、敵にかなわないと思って、全員逃げ出したらしいぜ」

伝承、覆《くつがえ》された！

「そこの霊が言う話だと、この城は高い場所にありすぎて、激戦があった時もスルーされて、敵軍が先に進んでいったんだとよ」

シローナの顔が血の気が引いて、白くなっている。

白が好きなシローナとしては、白くなってるからいいのか？　そんなことはないか……。

「だ、だとしても……背後に兵士が籠もっている城があれば、敵兵に対する抑止力として機能しましたから……無駄ではないんですよ、無駄では……」

シローナとしては、城に意味があったって流れにしないと収まりつかないよね。

「籠もっている兵士が少なかったから別に脅威じゃなかったし、城の総大将が偉い奴の側近とかじゃなくて地元の顔役みたいなのだから、わざわざ追撃して自分の兵士に損害出す気もなかったそうだぜ」

完全論破！

がっくりとシローナは膝《ひざ》をついた。

「なんですか、それ……。じゃあ、激戦の舞台でもなんでもないじゃないですか。伝承は何だったんですか！」

「そこの霊の話だと、地元の格好悪い話だから、激戦で全滅したことにしたらしい」

さっきから「そこの霊」って言われてるけど、見えないからよくわからん。

「あと、下のほうにあった兵士が駐屯できる平坦地も、ただの自然地形なんだそうだぜ」

「その霊が詳しすぎる！」

もう、最初からその霊に教えてもらったほうがよかった。

まあ、シローナには悪いけど、その霊の発言のほうが真相に近いんだろうな。

それはそれとして、私としてはシャルシャの反応が気がかりだった。

誰が悪いというものではないけど、傷ついていたりしないかな……。

悲哀の伝説に包まれた名城の現実が、かなりしょぼいとわかってしまった。

シャルシャは山城の遺跡を、ぼうっと眺めていた。

私の角度からだと背中が見えるせいか、たそがれているように見える。

「シャルシャ……？」

私は横から声をかけた。

「母さん、悲しくなどない。安心してほしい」

淡々《たんたん》とシャルシャは語った。

「人間は、城の構造などから、その城の実力を想像しがち。だが、現実の戦争では、その時の様々な要因に規定される。兵力、兵士の練度、兵士の士気、敵方の兵力……優れた技巧の城でも実際には役に立たずに放棄されることもありうる。その霊はシャルシャが忘れかけていたことを教えてくれた」

見えてない霊にいろいろ教えられてるの、複雑な気分だな……。

「だとしても……このタキダーン城が優れた山城である事実はまったく動かない」

シャルシャはわずかに微笑《ほほえ》んでいた。

ああ、知らないうちにシャルシャも大人になってきてる。

私は親として、そう実感した。

「だね。このお城は来るだけの価値がある、立派なものだよ」

私はシャルシャの肩に手を置いた。

「そこの霊もこれだけ手の込んだ山城はなかなかないって言ってますぜ」

もう、そこの霊、姿見せてほしい。


――と、その時、私たち以外の観光客の声が聞こえてきた。

「クマが出たぞ！」「こっちは大きなヘビだ！」

やっぱり山城だ。野生動物と遭遇するリスクもあるんだ。

「大丈夫ですか？　クマぐらいならどうにかできますよ！」

行こうとした私を、さっとシローナがさえぎった。

「大丈夫です、**義理様**」

「切迫してるからって、嫌な略し方するな」

ちっとも敬意が感じられない表現。

でも、大丈夫ってことはシローナがガイドとして責任を持って、対処してくれるということだろうか。

シローナも偉大な冒険者だし、クマに後れをとることはないはずだ。

「野生動物がお姉様たちに害をなさないように、配置していたんです」

「配置？」

すると、クマとヘビの悲鳴があったほうから、本当にクマとヘビがやってきた。

白いクマとヘビが。

「シロクマ大公じゃん！」

シローナのペット——というかペットの世話までシローナが留守の時はやっているシロクマと、赤い目がキュートなシロヘビだ。

「危ない動物がいないか、警備をしてもらっていました」

「クマやヘビが危ないところで、クマやヘビを使うな！」

観光客の方、お騒がせして申し訳ありませんでした。義理の母親として謝罪いたします。

今度は逆方向から「トラが出た！」という声がした。

ただ、もう驚きはしない。

「また、シローナのペットのホワイト・タイガーなんでしょ」

「ですね。このへんに野生のトラは棲息《せいそく》していませんから」

というか。

もしやとは思うが、野生動物がいて危ないっていう情報、シローナがシロクマやホワイト・タイガーを放していたことで広まってるんじゃないのか……？

少なくとも、過去にもこの城の整備に来てるしな……。

「でも、冒険者がホワイト・タイガーを傷つけちゃうかもしれないし、見に行ったほうがいいでしょ」

「そうですね。そんな強い冒険者はいないはずですが、念には念を入れましょう」

私はシローナとホワイト・タイガーがいるはずのところへ向かった。


そこではホワイト・タイガーの前で冒険者らしきおじさんが跪《ひざまず》いていた。

なんだ？　驚いて腰を抜かしちゃった？

そりゃ、トラがいるはずがない場所で、トラが出てきたら、驚きもするか。猫が出てきたのとわけが違うしな。早く状況を説明しないと……。

「もしや、そなたは我が友、サムトランではないか？」

「名場面みたいなところに出くわした！」

こういう有名な話、前世であったぞ。

でも、人間がトラになっちゃうなんてこと、どこの世界でもあるものなのか？

いや、地球のあった世界でも人間がトラになることは起きてないけど……。あくまでも物語の中のことだけど……。

「にゃう？　にゃん？」

このトラ、すっごく猫みたいな鳴き方するな。

「すいません、冒険者さん。サムトランさんという人間のお友達がいたんですか？」

ひとまず、トラにも冒険者にも殺気がないので、尋ねてみることにする。

「昔、貴族の護衛の仕事をしていた時、ペットのトラと仲良くなったのだ。だが、トラにたくさん子供が生まれたのを期に、自立して自然で暮らしてほしいとその貴族がおっしゃって森へ返してしまったのだ」

「あっ、トラの友達か……」

人間がトラになるよりは可能性はありそうだけど、多分違うだろうな。

「そういえば、『激情の純白』はやけに人慣れするんですよね。本当に過去に飼われていたかもしれませんね」

まさかの再会⁉

「あと、『激情の純白』って、それ、トラの名前なんだよね……？　シローナ、センスがおかしくない？」

「いいじゃないですか。白を讃《たた》える名前なんですから」

いい名前の基準はそこなのか。

シローナが、「自分たちはしばらく山の上にいるんで、その子と語らってもらっていいですよ」と言ったら、その冒険者はやたら感謝していました。

「シローナ、あなた、前よりは丸くなってきたね」

人に対して優しさを見せる機会が増えてきた気がする。

「失礼な。スライムの精霊だからといって、丸く太ってはいませんよ」

「そういう意味じゃない」

シローナはそこでため息をついた。あまり姉には見せない表情だ。

「本当のところ、山城のことで失敗してへこんでいるんです。戦乱も何もなかっただなんて……」

「別に失敗じゃないよ。シャルシャが来たいと言ってた山城にみんなでハイキングに来られたじゃん」

目的はちゃんと達しているのだ。

シローナは私から顔をそらした。

「ありがとうございます、義理のお母様」

この「ありがとう」は一応信じておくことにしよう。

さて、ハイキングの大事なイベントがまだ終わっていない。

向こうでファルファが手を振っている。

「ママー、シローナさーん！　お弁当食べるよー！」

そう、お弁当タイムが残っている！

「うん、すぐ行く！」

私はさっとシローナの手をとって、走り出した。


山城の上で食べるお弁当は、率直《そっちょく》に言ってとてもよかった。

「本当にいい景色ですね。生きてる間はこんなの見たことねえや」

ロザリーが少し前に飛び出して、ふもとを見下ろしている。

「だね、町を一望できるからね」

絶景を前にしての食事というのはいいものだ。これは苦労して登ってこないと味わえない。

「たしかに、ふもとの街道をやってくる軍隊がいたら、お城からよく見えたでしょうね。防衛の拠点としての意味はちゃんとあったわけですね」

「風が気持ちいいのだ！」

ドラゴン二人もそれなりに楽しんでくれているようだ。お弁当の量が二人だけ異様に多くて、肉がぎっしり詰まってるけど。

そして、なにより、シャルシャが楽しそうだった。

「城跡から眼下を望みながらの食事、一国一城の主になった気分」

「シャルシャ、野菜が残ってるよ～」

横からファルファがシャルシャのお弁当をのぞき込んだ。

「一国一城の主には、野菜より大切なものがある」

「理由になってないよ。食べなきゃ～」

「戦乱の時代の一国一城の主は明日をも知れぬ身。野菜を食べている場合ではない」

「野菜も食べられない主に家臣はついてこないよ～」

シャルシャはファルファに言いくるめられて、しぶしぶ野菜を食べていた。

「同じ野菜でもここで食べる野菜は少しおいしくなっている気がする」

その言葉とは裏腹に、シャルシャの表情はちっとも腑《ふ》に落ちてませんという不満そうなもので、ついつい笑ってしまった。

「多分、錯覚だろうけど、おいしくなってるならいいことだ」

私はシャルシャの頭をぽんぽん撫《な》でた。

「お姉様たちが喜んでくれたのなら、ありがたいです」

シローナも安堵《あんど》の表情になって、私たちが持ってきたお弁当を食べていた。シローナのことを考えて白いものでまとめている。パンも白いものとかね。

「シローナさん、ありがと－！　ハイキング、気持ちよかったよ～！」

「山城体験、とてもためになった」

二人がお礼を言う。シローナのほうは「いえいえ、こんなことで楽しんでもらえれば幸いです……」と恐縮していた。背の高さ的にパッと見は混乱する姉妹《しまい》関係だ。

うん、今回はシローナのおかげだよ。

食事が終わると、ファルファとシャルシャはシロクマ大公と鬼ごっこをしていた。

シロクマ大公にもお礼を言わないといけないな……。

「見ーつけた！　シロクマ大公、白いからすぐ見つかるよー！」

それは、まあ、そうだろうな……。

ファルファがはしゃいでる反面、シャルシャのほうはやけに真剣な表情で、いかに身を隠すか考えているようだ。少し山頂から下りはじめている。

ルールは厳密に決めてないだろうけど、あんまり下ると範囲が広くなりすぎるからダメなんじゃないか？　迷子になっちゃうとまずいし。

と、そのシャルシャが突然私のほうに走ってきた。

「母さん、シローナさん、鬼ごっこどころではなくなった。こっちに来てほしい」

やけにシャルシャが切迫しているのですぐに向かったけど、私はそれが何かわからなかった。

「何、ここ？　たんに平べったいエリアに木が生えてるだけじゃないの？」

宝箱があったり、洞窟への入り口があるわけではない。

ただ、同じく呼ばれて来たシローナが驚いた顔をしていた。

「すごいです……。木に隠れていますが、ここは復元図に載ってないお城の建物跡のようです！　従来の研究よりタキダーン城がずっと広いことがわかりました！」

「え？　それってシャルシャが新発見をしたってこと？」

「そうです！　山城研究者にもドヤ顔できますよ！」

鬼ごっこで新しいものが見つかることもある。

どんなものにも無駄はないと知ったハイキングでした。

ペコラから招待というか、呼び出しを受けたので、私はヴァンゼルド城のほうへ向かっていた。

『わざわざお越しいただいて申し訳ありませんね』

アナウンスみたいなファートラの声が響く。

今、私たち家族はリヴァイアサン形態のファートラに乗って移動中だ。

「いいよ。あなたも駆り出されてる側でしょ。つまり被害者みたいなものだから」

どうせ、ペコラが何か思いついたのだろう。それしか考えられない。

『そう言っていただけると私もありがたいです。なんでも、新しく開発したものがあるので、それをぜひアズサさんにお見せしたいということだそうで……』

開発という表現が気になった。あの魔族たちは何でも作り出すからな……。まあ、平和なものなら、この際何でもいいや。

偉い人が思いつきで何かやろうとするのは、どこの世界でも同じだ。

迷惑になることも多々あるけど、たまに素晴《すば》らしいものが生まれることもあるし、ペコラなら本気で危《あぶ》ないことはしないだろう。

「ところで、ほかのみんなはどの部屋にいるの？　なんか、がらんとしてるけど」

私だけが乗っているわけではないのだが、ラウンジみたいなくつろぐ空間の人口密度が低い。

『おそらくですが、賭博場《とばく》ではないでしょうか。お金を賭《か》けないという条件で、ハルカラさんがあそこを開いてくれとヴァーニアに言っていましたので』

「……それか。……ちょっと見てくる」


私が賭博場のほうに向かうと、ハルカラの悲鳴が聞こえてきた。

「また、負けたー！　そんな、そんな……。これで五連敗ですよ！」


ディーラーの位置にヴァーニアが立って、笑っている。

その前にすり鉢《ばち》状のルーレットみたいなものが置いてある。

あそこに小さい球を転がして、どこに入るかを当てるらしい。

「あらあら、運が悪いですね、ハルカラさん。きっと、最初のビギナーズラックで運をすべて使ってしまったんでしょうね～」

「い、いいえ！　次こそ、またあの運が巡ってきて大勝利です！　ディーラー、もう一勝負！」

にやりとディーラーのヴァーニアが笑った。見事にもてあそばれている……。

その後ろではほかの家族があきれていた。

とくに賭け事《ごと》とは無縁そうなライカは白い目をしていた。

「やはり博打《ばくち》はよくありませんね。射幸心《しゃこうしん》をあおられると、人は冷静な判断ができなくなります。いわば、これは洗脳の魔法みたいなものです」

「ハルカラのお姉さん、見事にはまっちゃったね～。本物のお金じゃなくてよかったね」

「最初に勝ってしまって、その枚数のチップが基準になってしまった。それより下のままだと負けた気がしてやめられなくなる。あとはずぶずぶ沈んでいくだけの底なし沼」

ファルファとシャルシャも冷静に観察していた。

こういうのって、まず勝たせておいて、いい気にさせておいてむしりとるって聞いたことがあるけど、本当なんだろうか。

「いやあ、ハルカラの姉御《あねご》、派手《はで》な負けっぷりですよ、姐《ねえ》さん」

私が入ってきたのに気づいたロザリーがこっちにやってきた。

「ちなみにどれぐらい負けてるの？」

「もし、本当に金を賭けていたら、三千万ゴールドぐらいは負けてます」

額がえげつなかった。

「アタシは賭け事はしないんですが、悪霊の中には賭け事にはまって死ぬしかなくなった奴《やつ》もたくさんいますから、生々《なまなま》しいものがありますね～」

「うわあ……。賭け事はのめり込むと文字通り身を滅ぼすんだな……」

「ハルカラは頭がいいように見えてバカなのだ。多分、フラットルテ様のほうが賢《かしこ》いのだ」

フラットルテがテーブルについて、お茶を飲みながら言った。サンドラも椅子《いす》に座っている。

どうやら、みんなハルカラのことが気になって集結したという感じらしい。

「そういや、フラットルテは賭け事は興味ないのね。なんだか、意外だわ。動物の中では賭け事が好きそうなタイプに思えたから」

サンドラの言葉からすると、植物は賭け事なんて興味がないのが一般的らしい。

それはそれとして、たしかにフラットルテというかブルードラゴンも賭け事でお金を使い果たしたりする人が多そうなイメージはあった。労働に興味なくて、みんなその日暮らしだし。

「ブルードラゴンはみんなお金がないから、博打はできなかったのだ。だから熱中する奴もいなかったな」

そういうことか！

「それに、ほんとにブルードラゴンがそういうのにはまって負けまくったら、会場で暴《あば》れてコールドブレス吐《は》きそうだしな」

怖くてカモにすることもできないのか。

理由はともあれ、賭け事に熱中しないほうがいいと思う。

なお、ハルカラはそのあとも盛大に負け続けた。

こういうのは一回歯車が悪いほうに噛み合ってしまうと抜け出せないものなのだ。

ちなみに、夕飯の時間になってもハルカラは青い顔をしていた。

「あのさ、ハルカラ、お金は賭けてなかったんだよね？　じゃあ、なんでそんなにしんどそうなの？　本当に体調不良？」

「もし、お金を賭けていたらと想像したら、気分が悪くなってきまして……」

　完全にハルカラは沈んでいた。いつもの酔った時よりきつそうだった。

「一日で一億ゴールドが飛んでいた計算です……。いくらなんでも無茶苦茶《むちゃくちゃ》なお金の使い方です……。あの時のわたしは何をしていたんでしょう」

「反省するだけ偉いけど、もっと早く反省してね」

「あの、お師匠様、もしわたしがまた賭け事をしようとしたら、その時は水風呂にでも投げ入れてください。お願いします」

「物理的に頭を冷やす作戦かよ」

　今度の件で、ハルカラも賭け事の恐怖を知ったみたいなので、今後はそんなひどい目には遭わないだろう。

　ある意味、教訓を学ぶ場としては賭博場もいい形で機能した。

　でも、うっかり大勝ちしちゃったら、それを機にどんどんはまるおそれもあったんだな……。

　やっぱり、危ないかもしれない……。

　そこにさっきまでハルカラに大勝ちしていたヴァーニアが料理を持ってきた。

　今回も料理はヴァーニアがすべて担当している。いつもながらレベルが高い。

「ハルカラさんは典型的なカモですね。しないほうがいいですよ～」

「……私も横で見てただけだけど、いい反面教師になったよ。ていうか、ヴァーニアってカジノのディーラーみたいなこともできるんだね」

「大学生の時に片手間で練習したんですよ～。はい、骨付き羊肉を香辛料にまぶしてじっくり焼いたものです」

ヴァーニア、いいかげんなようで実は多方面に才能があるすごい子なのでは……。

私の心を読んでいたように姉のファートラのアナウンスが入った。

『妹は仕事以外はよくできるんです』

仕事しか能がない人よりはいい気もするが、それで官僚をやって大丈夫なんだろうか？

◇

ファートラに乗って、私たちは無事にヴァンゼルド城のほうに着いた。

家族はVIP待遇で、しばらくくつろがせてもらえるらしい。

一方で、私だけはファートラとヴァーニアに連れられて、城の敷地を歩く。ペコラは私だけに用があるとのこと。

「中庭のほうに開発したものがありますので」

ファートラが簡単に説明を加えた。

「開発ってことはアーティファクト的な何か？」

「それで正解です。また古代文明の魔法を一部利用したようで。私はあまり詳しくないのですが、魔王様の愛読書に出てきた架空のアーティファクトを開発できたとか」

サーサ・サーサ王国の魔法が絡《から》んでるのか。

まあ、現物を見ればわかるだろう。


で、私は中庭に着いた。

目の前に、身長二メートルぐらいのロボットの怪獣みたいなものがいた。

「いかにも口から炎とか吐きそう！」

それが私の第一印象だ。体はすべて金属なのだが、フォルムは怪獣である。ちゃんと目や口もついている。

そのメカ怪獣の前にペコラとベルゼブブが立っていた。

もっとも、ベルゼブブは疲れた顔をしているので、ペコラの被害者の側らしい。

「お姉様、お待ちしておりました！　どうですか、素晴らしいでしょう？」

「素晴らしいと言われても、これは何なの？」

「ご覧のとおり、アーティファクトのリザードです」

そうペコラが言うと、アーティファクトのリザードが**「ぐおおあああああ！」**と叫《さけ》んだ。声も出るらしい。

「いや～、今までにもアーティファクトのモンスターが出てくるようなお話は数多くあったんですが、ついに現物が完成しましたよ！　かっこいいですね！」

またリザードが**「ぶおおおおっ!」**と叫んだ。

けっこううるさい。

おそらくだが、この世界にロボット的なものが誕生したらしい。

「それにしても、こんなアーティファクトのモンスターが登場する話っていくつもあったんだ……」

「はい! もう、名作がたくさんあります!」

ペコラはそう言うと、ロボ怪獣(アーティファクトのリザードだと長いので、心の中ではそう呼びます)の後ろに回り込んだ。

そして、手に大量の本を持って戻ってきた。事前に用意していたらしい。

どの表紙にもロボ怪獣みたいなものが描かれている。

「魔法の技術を使い、現実には存在しないような巨大なモンスターが暴れまわる! それに立ち向かう正義の巨人! ベタですけど、ベタであるがゆえに盛り上がりますよね!」

モンスターが実在する世界でも、こういう怪獣物の作品って存在するんだ……。

もっとも、サメが実在する前世でも、巨大なサメが出てくる映画がたくさんあったはずだし、おかしくはないのか。

「今までの魔法の技術では、生きているようにリアルに動くアーティファクトのモンスターは作れなかったのじゃ。じゃが、悪霊たちの魔法を使って、ついに開発に成功したというわけじゃの」

ベルゼブブが説明を接《つ》いだ。

「あなたたち魔族だけの力で作ったわけじゃないのかもしれないけど、こういうのを新規で作りあげちゃうところはマジで尊敬するよ……」

魔族はアレンジ能力みたいなものがずば抜けている気がする。

それと、アイディアを形にする実行力が。

「いや、いくらわらわたち魔族でもこんなのをすぐに作ることは――」

「ウボアーッ！」

とロボ怪獣が叫んだ。

「うるさいわ！　わらわたちがしゃべっている時はしばらく黙っておれ！」

「グア……」

ロボ怪獣が弱々しく返事するみたいに答えた。

「魔族でもこんなのをすぐに作ることはできんぞ。膨大な時間がかかるはずじゃったのじゃが……」

ベルゼブブが言葉尻を濁《にご》した。

一方で、ペコラが楽しそうに胸を張った。

「魔王の命令で、研究機関や大学にじゃぶじゃぶ補助金を出しました！　お金を与えれば与えるだけ、技術は発展するんですよねー！」

そんな植物に肥料やって育てるような発想でいいのか……？

いや、でも、お金がなければ新技術の開発もおぼつかないか。

新技術を試すとなると、それは一種の博打だ。失敗している間は、儲《もう》かりようもないだろう。それだと、試行錯誤の回数も増やせない。

となると、補助金でいくらでも試行錯誤ができるようにしてやるというのは正しい方法なのか。それに、カジノでの勝負と違って、失敗するうちに成功に近づいていくはずのものだし、失敗にもちゃんと意味はあるのだ。

「ペコラの趣味なだけかもしれないけど、お金を投入したのはよかったのかもね。ここから新しいものが生まれそうな気がする」

「あっ、お姉様、褒《ほ》めてくれてますね。じゃあ、頭をなでなでしてください！」

ずうずうしくペコラがこっちに頭を差し出してきた。

「わ、わかったよ……その程度で納得するなら……」

どうも気恥《きは》ずかしいが、毎日のように会っているわけではないし、たまにはいいだろう。

ペコラもやけにうれしそうだし、これぐらいのことで喜んでくれるなら安いものと考えよう。

私はペコラの頭を撫《な》でた。

この頭の中に、悪魔的なアイディアがたくさん入ってるんだよなあ。

「じゃあ、ロボ怪獣も見たし、今回の件はこれでおしまいかな」

怪獣ファンなら、お目にかけたいという気持ちもわからなくはない。このクオリティなら怪獣ファンじゃなくても見せたいと思う。

「いいえ、ここからが本題です」

ペコラがなんか不穏なことを言った。

「えっ？　この発明の紹介をするのが目的じゃなかったの？」

後ろでベルゼブブが腕組みをしたまま、首を横に振っていた。

「今回の本題はずばりこれです！」

ペコラはさっきのロボ怪獣が表紙になっている本の中から、一冊を私のほうに向けた。

それはロボ怪獣の背中に人間が乗っている表紙だった。

巨大なロボ怪獣が暴れ回る表紙のものとは明らかに雰囲気が違う。

「これは何？　クリーチャーが乗り物になってるの？」

「はい。書名は『魔力をいただけませんか？』というものです。馬車を雇《やと》えない魔法の研究者が自作のアーティファクトのクリーチャーで旅をしようとするんですが、何度もアーティファクトの魔力が切れて、目的地に着くまでに四苦八苦するというストーリーですね」

「あなた、以前も馬車の旅の本みたいなことをしたいって言ってたよね……。旅系の話が好きなんだな……」

『ローカル路線馬車乗り継ぎの旅』という小説だった気がする。

その本の真似《まね》をして、路線馬車だけで目的地を目指《めざ》した。参加者の体力がありすぎて、強引《ごういん》に山を走り抜けて、ゴールしてしまったけど。

「はい！　今回はこのアーティファクトのリザードに乗って、『魔力をいただけませんか？』みたいな旅をしたいと思います！　――三人で！」

三人という言葉でベルゼブブが疲れた顔をしている理由がわかった。

私は言うまでもないとして、ベルゼブブも頭数に入ってるんだな……。

「お二人とも、持ってきてください！」

ペコラがそう言うと、ファートラとヴァーニアが奥から残り二体のロボ怪獣を引きずってきた。

おそらく無茶苦茶重いはずだけど、リヴァイアサンなら引きずるぐらいはできるんだろう。

合計三体のロボ怪獣が並ぶ。

「そうか、これ、乗り物なんだ……」

「グオアアアア！」「ブオオオオオ！」「アアアアアアッ！」

ロボ怪獣が一斉に叫んだ！　猛烈にうるさい！

「このリザードに乗って、ヴァンゼルド城から百七十ギルロ離れたエフォックという町まで旅をします！　お姉様、よろしくお願いしますね！」

「え、いや……私はまだ参加するとまでは一言も言ってな――」

「グオアアアア！」「ブオオオオオ！」「アアアアアアッ！」

またロボ怪獣が叫んで、私の言葉はかき消された。

「ありがとうございます！　やってくれると信じていました！」

「アズサ、すまんの。わらわも娘たちと過ごせんが参加するのじゃ。おぬしも数日だけ我慢してくれ」

ペコラもベルゼブブも私の参加は確定という前提でいる！

「ちょっと待ってよ。いくらなんでも唐突すぎ――」

「グオアアアア！」「ブオオオオオ！」「アアアアアアッ！」

ロボ怪獣のせいで会話ができない！

ていうか、これ、わざとやってないか？

私がまずいことをしゃべると音でかき消されるんじゃないの？

「それでは、早速ですが今からスタートの準備をしましょうか」

「スタートは第十三凱旋門《がいせんもん》のあたりじゃ。リザードを運ぶのに時間もかかるし、ゆっくりと向かうとするかのう」

あっ、もう拒否できない流れにされてしまっている……。

こうして私は強引に謎《なぞ》の企画に参加させられることになりました。

◇

私たちはスタート地点ということになっている第十三凱旋門というところに移動した。

たしかにさっきのロボ怪獣三体が置いてあって、その周囲は魔族の見物客でごった返している。

「お祭りみたいな空気になってる！」

「そりゃ、こんな得体のしれんものが三体も並んでおったら、目をひくじゃろう。もっとも、それだけではないがの」

ベルゼブブが指差したところには、こんな看板が置いてあった。

魔力をいただけませんか？

ヴァンゼルド城からエフォックの旅　～魔王様　ドキドキ珍道中～


「なんだよ、ドキドキ珍道中って！」

始まる前から珍道中になることは確定しているの、おかしくないか？　もし何の変哲《へんてつ》もなく、ゴールしたらどうするつもりなんだ。

しかし、私のツッコミをよそにペコラは集まっている聴衆に手を振っていた。

君主らしい対応と言えなくもない。なんだかんだでこの魔王は民から愛されている。

「ママー！　頑張ってねー！」

「成功を祈りたい」

「まあ、達者でやりなさいよ」

そこに聞き慣れた声が届いた。娘たちの声は聞き逃さないのだ。

「みんな、来てくれてたんだね！」

ファルファ、シャルシャ、それにサンドラも列の前のほうにいた。

ほかの家族も近くにいたので、特等席を用意されたということだろう。

だが、私が寄っていくより先にベルゼブブが駆けていった。


「今から行ってくるのじゃ。みんな、いい子にしておるんじゃぞ。何か困ったことがあったら、ファートラとヴァーニアに言えば大丈夫じゃからな」


「おい、母親の仕事をとるな！」

いくらなんでもやりすぎだと思ったので、ベルゼブブを押しのけた。節度を守ってほしい。

「むっ！　おぬし、何をするのじゃ！　娘との大切な時間じゃぞ！」

「その言葉、そっくりそのまま返すわ！　せめて私が娘と話したあとにしてよ！」

「毎日、娘と会っておるくせに欲張りな……」

娘と一緒に暮らしているんだから、当たり前だろ。

そのうち、ベルゼブブが高原の家に引っ越してきたりしそうで怖いな……。

あるいは、もしも長距離の瞬間移動が問題なく行える技術が開発されたら、毎日来るな……。

移動に関してはそこそこ不便なほうが私はありがたいかもしれない。

そんなやりとりをしていると、さっきまでそのへんにいたフラットルテがいなくなっていた。

「へ～。なかなか頑丈な金属でできてるんだな。これは面白《おもしろ》いのだ」

フラットルテがロボ怪獣をべたべた触っていた……。

「あ～、フラットルテさん、触らないでください！　お触りは禁止です！」

ヴァーニアが止めに来た。お手数おかけします。

「なんでだ、減りはしないからいいだろ。せっかくだし、このアーティファクトと力比べをしたいのだ！」

「壊れたら大変です！　本当にやめてください！」

フラットルテが攻撃したら多分、大破するだろうな……。

「お姉様、乗りましょう。お姉様は二号車です」

ペコラに促《うなが》されて、私もロボ怪獣に乗る。よく見ると、怪獣の前に数字を書いたワッペンが張ってある。なんかレンタサイクルみたいだ。

「ほんとだ、後ろから見たらちゃんと席になってる」

ロボ怪獣は背中の部分に席があって、座れる構造になっていた。さらに舵《へび》のようなものもついている。これがハンドルと見て間違いないだろう。

「まだ、主魔法源《しゅまほうげん》は押さないでくださいね。移動は主魔法源を押すと、勝手にはじまります。速度は背中にあるレバーを動かして決めます。動きをストップさせたい時は足元にあるレバーを踏んでください」

「ああ、うん、だいたいわかった」

想像以上に車っぽい。

私、あんまり車の運転の経験ないんだよなあ。

前世で免許は持っていたけど、見事なペーパードライバーだった。

この世界は車なんて走ってない世界だし、注意して運転すればどうにかなるか。

もっとも、どれぐらいの速度が出るのか一切《いっさい》不明なのだ。いきなり高速道路を爆走するような速度が出たら大事故になるけど……それはさすがにないと信じたい。

「それと、舵の横にいくつかボタンがあると思います。一つ押してみてください」

「うん、わかった」

ぽちっとな。


『せかいーをー、くらやみでつつんでー、みんないっしょにーな～れ～♪』


なんか、音楽が流れてきた！

「しかも、これ、ペコラがアイドルやってた時の歌じゃん！」

「歌を吹き込んで、ボタンを押すと流れるように設定しました。いつでも、わたくしの歌が聞けますよ！」

「魔族って、どうでもいい機能をつけるの、好きだよね……」

操作方法もだいたいわかったところで、ファートラが開会の辞みたいなものを話すことになった。

「え～、皆さん、本日はお忙しいところ、わざわざお集まりいただきまして、まことにありがとうございました。今回、複数の大学と企業の産学連携により、アーティファクトのリザードを――」

「ブオオオオオォォォォォォ！」

またロボ怪獣が大きな声で叫んで、ファートラの声をさえぎった。

私がボタンを押したわけではないし、どうも声は勝手にあげるらしい。ボタンを押さないかぎり、鳴かないシステムにしたほうがいいと思うんだけど……。

「ヴァンゼルド城からエフォックまで約百七十ギルロの間には、いくつもの――」

「グアアアアアアァァァァァ！」

またロボ怪獣が声を出して、ファートラの声がさえぎられた。

「ベルゼブブ、これ、音を消すようにはできなかったの……？」

「わらわもよくわからんが、それは法的に無理らしいのじゃ。たまに音を出さんと、周囲に走っておることを伝えられんからの」

音が一切しない車が走ってたら危ないようなものか。

今度はペコラのロボ怪獣が**「ぐお～～～～～ん」**と長い声で鳴いて、ファートラの話は完全に遮断《しゃだん》された。

「――たいと思います。以上で私の話を終わります。ご清聴ありがとうございました」

絶対にご清聴してなかった。

「それじゃ、行きましょう、お姉様、ベルゼブブさん！」

ペコラが主魔法源のボタンを押した。　ペコラのロボ怪獣が動き出す。

よし、私も続いて押す。

「ぽちっとね」

ロボ怪獣が走り出した！

ロボ怪獣（正式にはアーティファクトのリザードというモンスター）はヴァンゼルド城下町を駆けていく。

バイクでの旅だと思えばなかなか楽しいかも。

ただ、すぐに違和感に気づいた。

「振動がものすごい！」

がっくんがっくんと体が揺れる！

「車みたいだと思ったけど、明らかに車の動きじゃない！　縦《たて》揺れがひどい！」

「当たり前じゃろ。このリザードは後ろ足二本を動かして、走るのじゃぞ。そりゃ車輪つきの馬車のようにスムーズには進まんわ」

「いや、それはベルゼブブの言うとおりなんだけど……だったら後ろ足二本で立ち上がったりせずに、前足二本も含めて四本足で進めばよかったんじゃ……？　いや、むしろ、最初から足を車輪にしたらよかったような……」

そうすればこんなにがっくんがっくん揺れることもなかったと思う。

「それはダメですよー、まったくダメです。ロマンがありません」

ペコラが頬《ほお》をふくらませていた。

「ロマン？　こういう業界ならではのこだわりみたいなものがあるの？」

でも、ロボ怪獣はこの世界で初の試《こころ》みのはずだから、前例はないんじゃ？

「『魔力をいただけませんか？』の原作では、二足歩行しているアーティファクトで移動したんです！　それに合わせないと意味がないじゃないですか！」

「原作に準拠したいだけか！」

「まあ、この程度の揺れそのうち慣れぶふっ！　うぐっ……」

ベルゼブブの言葉が突然途切れた。

「くそう……舌を噛《か》んでしもうたわ……」

「ほら、早速実害が出てるじゃん！」

「はい、しゃべるのはいいですけど、よそ見はしないでくださいね。とくに路地を横切る時は飛び出してくる人がいないか注意しましょう」

なるほど……。この世界、信号なんてものがないから、そこは本当に気をつけないとな。

時速はおおかた二十キロぐらいだろうか。無事故を目指して走りたい。

ちなみに私たちの両側の沿道は、やたらと見物の魔族が集まっている。

「宿駅伝の時を思い出すなあ、これ」

「なにせ、魔王様が参加なさっておるからの。魔王様の人気はなんだかんだですごいのじゃ」

たしかにペコラは「ありがとうございます～」と両側に手を振っていた。

もしかすると、ただの旅ではなくて、パレード的な意味合いもあるのかもしれない。

魔王が不思議な乗り物で練り歩く（厳密には走っている）というのは、かなりインパクトがあると思うし。

「『魔力をいただけませんか？』の原作でも、人が集まって見に来てたんですよね～。ここも原作どおり人を集めて、達成できました！」

「本当に原作準拠にこだわりを見せるな！」

最初のうちは城下町のど真《ま》ん中《なか》だけあって、人も密集していたし、速度も出せなかったが、だんだんと郊外になると、加速もさせられるようになってきた。

あと、道もすいているので、三体や二体で並んで走ることもできる場所が増えてきた。

「おお、快適、快適……ってほどでもないけど、さっきよりは快適かな」

揺れもだんだんと慣れたというか、諦《あきら》めた。

この乗り物はもう揺れるものなのだ。

「そうじゃのう。問題があるとすれば――空を飛んだほうが速いことじゃな」

たしかにベルゼブブも翼があるので空は飛べるのだ。

私の場合は空中浮遊だから、たいした速度は出ないが、ベルゼブブは余裕でこのロボ怪獣より高速で移動できるだろう。

「はい、そこ、ダメですよ！　自分で飛んだほうが速いなんて言っちゃダメです！　ロマンがないです！　ロマン違反です！」

また魔王から注意が来た。

「いいですか？　原作では馬車が買えない研究者が、苦肉の策でアーティファクトを作るんです。だから、速度が馬車より劣っても仕方ないんです」

ペコラ、本当に設定には妥協《だきょう》しないな。

「魔王様、こんなアーティファクトを作るお金があったら、馬車も買えたと思いますじゃ。これの開発に何億もかかりましたのじゃ」

「ベルゼブブさん！　ガチなツッコミもダメです！　大臣にあるまじき失言です！」

またペコラの注意が飛んだ。

「そりゃ、ワイヴァーンに乗れば二時間ほどでエフォックまで着きますよ！　あっという間ですよ！　でも、そこをあえて遅く移動するからいいんですよ。遅いからこそ、ワイヴァーンでの移動だと見落としていたものが視界に入るんです！」

なんか新幹線ではなく、あえて在来線で旅をすることで見えなかった風景が見えてくるのだと語る人みたいだ。

「はあ……。だとしても、この乗り物を使う必然性がわかりませんが、魔王様が言うならそうなのでしょうな」

「いずれ、ベルゼブブさんも遅いアーティファクトで移動する意義に気づきま――――」

ペコラのロボ怪獣がやけに傾いていた！

そのままロボ怪獣が倒れていく！

「ちょっ！　ペコラ、大丈夫⁉」

だが、さっとロボ怪獣は手（正確には前足）を突き出して、一時的に四輪（？）走行になる。

「なんだ、そういう走り方もできるんだ！」

「ええ、モードとしてはあります」

そして、しばらく移動してから、また後ろ足二本での走行に復帰した。

「いや～、危なかったです。段差があって、足を引っかけてしまいました。でも、転倒しかけても、今のようにバックアップできますからね。見事な設計でしょ？」

「これなら、最初から二足走行じゃないほうがいい気がしましたですじゃ」

「私もベルゼブブに一票……かな」

のんびり旅行するのはいいかもしれないが、怪獣的な動きをする意味のほうはどうでもいい。

「二人とも、ちっともロマンを解さないんですから！　今度からロマンを必修にします！　ロマンがわからないお姉様というのは大問題です！」

ロボ怪獣で走っているせいで、ペコラの苦情も流れて聞こえてくる。

こういう音の聞こえ方って、なんかなつかしいや。

私たちは延々と城下町の外側に向かって走り、やがて大きいというより分厚い城壁を抜けて、城下町を出た。

最初のうちは、城壁の外側もまだ町が続いているという印象だったが、やがて農地が広がってきた。

「おっ、ついに郊外に出たね」

「うむ。農務省の管理している農地もあるから、このへんは仕事場でもあるのじゃがな」

たしかに職業柄、実験のために広い農地も必要だったりするのか。

――と、ペコラのロボ怪獣が「ひゅう～～～～～～～～」と気の抜けたような声を上げた。

さらにベルゼブブのロボ怪獣も同じような声を上げた。

「何、今の？　やる気がなくなりそうな声なんだけど……」

「あ～、そろそろ魔力切れですね～。補充しないと走れません」

充電をするシステムなのか。そういえば、ペコラが影響を受けた本の名前、『魔力をいただけませんか？』だったな……。

それは、まあ、わかるのだけど――

「えっ⁉　まだヴァンゼルド城を出たばっかりだけど……もう切れちゃうの……？」

「はい。技術的には百ギルロまでは一回の補充で走れるのですが、原作に合わせて二十ギルロも走ると動かなくなるように設計しました」

「メリットのないこだわり！」

「お姉様、わたくしたちのリザードは止まってしまうので、どこか魔力を貸してくれるところを探してください」

ごく当たり前のようにペコラが言うが、そんな話ちっとも聞いてないぞ。

「魔力ってどこでもらえるの……？」

ペコラは自分の口を開けて、指差した。どういう意味だ？

「リザードの口に食べ物を入れると、魔力に変換することができます。つまり、食べ物をくれる家を探してくださ～い！」

ペコラとベルゼブブのロボ怪獣は充電（電気じゃないが、実質充電だ）が切れたのか、だんだん遅くなって止まってしまった。

「なんで私のだけまだ走れるの？」

「おぬし、意外と運転が上手《うま》いのう。加減速が少ないから魔力が温存できておるのじゃ」

車の運転が上手いとガソリンの燃費がいいみたいな発想だ……。ペーパードライバーとはいえ、車を運転した経験があることが生きているのかな。

「わらわたちは歩いて追いつくから、沿道で店か民家を見つけるのじゃ～！」

「マジか……。私が交渉しなきゃならないのか……」

じゃあ、食べ物をもらいに行くか。どうせなら魔王のペコラが食べ物くださいって言ったほうが話が早いと思うのだが、やむをえない。

だが、すぐにまずいことに気づいた。

郊外で家がない。

建物が周囲にまったくない。

何を植えているかわからない農地が広がっているところに道が通っているだけ……。

「これはまずいぞ……。町の中ならどうとでもなるかもだけど、こんなところでどうすれば……？　これなら、町を出る前に充電するべきだったな……」

生きてる動物じゃなくて、アーティファクトなわけだし、石や土をロボ怪獣の口に入れても魔力になったりしないのだろうか？

いや……多分壊れるな。それはやめたほうがいいな。

あと、見た目は動物っぽいので、できればまともな食べ物を食べさせたい。

やがて、私のロボ怪獣も「ひゅう～～～～～～～～」と声を出して止まってしまった。燃費のいい走行ができていたとしても誤差の範囲だからね。

「これからどうしたものか……」

ロボ怪獣から降りて後ろの背中を押すと、ロボ怪獣の足が動いて前に進む。

自転車を押して歩いている感覚に近い。

「店ってないかな……。ないよなあ……」

すると、横の畑から、何かが動いた。

帽子をかぶっている、オッドアイの魔族ファーマーだった。農作業の途中でしゃがみこんでいたらしい。

「ん？　それ、何だべ？　新しい鳥除《よ》けか？」

「いや、違います」

向こうから話しかけてくれたし、ここはダメ元で聞いてみるか。

「すいません、私たち、このアーティファクトで旅をしてるんですけど、魔力が切れてしまったみたいなんです。魔力補充のための食べ物があったらいただけませんかね？」

厚かましいかもしれないが、このままロボ怪獣を押していっても、いつ店が出てくるかわかったものじゃない。

「よくわからねえが、別にいいべ」

あっ、助かった！　地獄に仏！　むしろ地獄に魔族！

「でも、ここから家までは遠いんだべ。この作物ではあかんべ？　これだったら売るほどあるし、商品にならない形の悪いのなんていくらでもあげるべよ」

「ええと……おそらく大丈夫だと思います。ちなみに何を栽培してるんですか？」

その魔族ファーマーは巨大なボール状のものを抱え上げた。

緑の中に独特の縞《しま》模様が見える。

「ウリの仲間だべ。そこそこ甘いべよ」

スイカのようなものを栽培しているらしい。

魔族ファーマーはそのまま自分の顔よりはるかに大きいスイカのようなものを担《かつ》いで道に上がってくると――容赦なく、それを土手に叩《たた》きつけた。

ボール状のものが割れて、中の赤い果肉部分が見えた。やっぱりスイカの仲間だ。

「ほら、これで食えるべ」

「豪快な割り方！」

「ナイフで切るのは時間がかかるんだべ。ほれ、好きなだけ食ってくれ」

私は早速、手ごろなサイズになったその果肉をロボ怪獣の口に入れた。

「う〜〜〜〜〜」

また気の抜けた声がして、ロボ怪獣の尻尾《しっぽ》がばたばた動いた。

「なんかうなってるみてえだけど、魔力を補充できてんだべ？」

「私もわからないけど、多分大丈夫です！」

よく見ると、舵の横にメーターみたいなものがあって、果肉を入れるたびにそれが増えていっていた。この調子だと、しっかり充電できそうだ。

私がロボ怪獣をフルまで回復させた頃、後ろから二人がやってきた。

「お姉様、食べ物ありましたか〜？」

「この人にもらったよ〜！」

ちなみに横にいた魔族ファーマーはペコラを見て、「魔王様だべっ！」と驚いていた。

そりゃ、驚くよな……。魔王がやってきたんだもんな……。


そのあと、私たちはロボ怪獣にスイカ的なものを食べさせつつ――

自分たちもスイカ的なものをごちそうになった。

「うん！　おいしいですね！」

「魔王様、これはかなり糖度の高い生き血ウリですな！」

名称が不気味《ぶきみ》！

「でも、たしかにおいしいね。甘くて、ほとんどジュースみたいなスイカだよ」

「スイカってなんじゃ？　これは生き血ウリじゃ」

私の価値観だとこれはスイカなので、もうスイカだということにしてほしい。

「農家の人、本当にありがとうございました。しかも、私たちまでもてなしてくれて」

私は丁重《ていちょう》にお礼をする。

この人を発見できなかったら、旅はかなり困難なことになっていた。

「お気になさらずだべ。魔王様にこんな規格外の生き血ウリを出すことになってしまって、こっちが恐縮だべ……」

魔族ファーマーは完全に縮こまってしまっている。

「そんなことありません！　とってもおいしいですよ～！」

「うむ！　それに規格外なのは形がおかしいからなだけじゃ。味には何の問題もないからのう。トゲにあたる突起部分が伸びてなくて、円形になってるだけじゃ」

「これって、円形なほうが規格外なんだ……」

とにかく親切な農家の人のおかげで私たちのロボ怪獣は無事に充電された。

「このたびはありがとうございました。これは魔王からの礼状です。よかったら受け取ってくださ～い」

ペコラは表彰状みたいなものを出した。

農家の人も「ありがたき幸せだべ!」と恭《うやうや》しく受け取っていた。

私たちは再びロボ怪獣を走らせた。

三体のロボ怪獣が鳴き声をサイレンみたいにあげた。

さあ、この先に向かうぞ!

しかし旅を再開させた直後に、ペコラは「わかってはいたんですが、ちょっとまずいですね~」と首をかしげていた。

「いったい、何がまずいの?」

「わたくしがお願いに行くと、相手の方がびっくりしてしまうんです。今後の交渉はお姉様とベルゼブブさんでお願いします」

魔王が旅行っぽさを楽しむのはなかなか大変なのかもしれない。

「わかった。そこはできるかぎり、私たちでどうにかするよ」

そのあと、私たちは順調に距離を稼《かせ》いでいった。

ちょっとした喫茶店《きっさてん》を見つけて、そこで休憩《きゅうけい》もした。そのお店で、また水をロボ怪獣に入れて充電した。水だけでもちょっとは充電できるのか。

私たちの旅は順調に進んだ。

だんだんと夕方になってきたが、まだまだ先に行けそうだ。

「揺れにも慣れるって言われたけど、たしかに気にならなくなってきた」

ロボ怪獣は魔力が満タンだろうと切れかけだろうと、がったんがったん動く。

「ですね～。かなり、原作っぽさが出てきましたよ♪」

「ペコラは常に原作に近いかどうかが評価のポイントなんだね……」

「はい。なにせ、こんな不思議な旅、わたくしは全然できませんでしたから」

ペコラの声に沈んだところは何もなかったけれど、その言葉は引っかかった。

そうだ、ペコラは魔王なのだ。

だとしたら、当てのない気ままな旅をしたくたってできないのが自然だろう。

もちろん、誰《だれ》もがそんな旅をしたいかというと、それはまた別の話だ。旅自体に興味がなくて、自分の住んでる町から出ないでいいという人だってたくさんいる。

しかし、最初からできないことになっているものに興味を持ってしまうのが人というものじゃないだろうか。

以前のローカル路線馬車の旅の時もそうだったけれど、ペコラは不思議な旅をするのが夢だったのかな。

「ペコラ、これぐらいのことで楽しめるんだったら、たまに付き合ってあげてもいいよ」

危険なことでも苦しいことでもないし、一応、お姉様と呼ばれているし。

「本当ですか、お姉様？　やっぱりナシにするというのはダメですからね？」

ペコラも目を輝かせた。

「大丈夫だよ。無茶《むちゃ》振《ぶ》りがない範囲なら協力してあげる」

「ったく、おぬしはなんだかんだで甘いのう」

ベルゼブブがあきれた顔をしていた。運転時間も長くなってきて、ほかの二人の顔をちらちら確認しながら旅をすることもできるようになってきた。

「別にいいでしょ。厳しすぎるよりはマシだと思うけど」

「魔王様にあまり安請《やすう》け合《あ》いをすると、ひどいことになるからのう。わらわはその点、おぬしより詳しいのじゃ。経験が違う」

そりゃ、農相なんだから、魔王とも付き合いが長いだろうけど、そんなところでマウントとるなよ。

「ひどいことって、別に何でも好きな約束をかなえてあげるって言ってるわけじゃないし。たかだか、この怪獣……じゃなくてリザードのアーティファクトで旅をするだけでしょ。距離だって何十日もかかるってわけじゃないじゃん」

しかし、ベルゼブブはまだ納得はしてないらしく、警戒している顔をしていた。

「たいしたことない――そう思ってしまうところに罠《わな》がある気がするのじゃ。わらわは本当に何度も魔王様の思いつきに苦しめられたからのう……」

「ま、まあ……あなたが大変な目に遭ってきたってことは否定《ひてい》しない」

私が知ってる範囲でもアイドルみたいなことをさせられたりしてたし。

「ベルゼブブさんも、さすがに安請け合いをしなくなってしまいましたね〜。教育を失敗しました」

ペコラはベルゼブブにこういうことを言われるのはいつものことらしく、あっさり受け流していた。

臣下が平気で軽口をきいて問題ないぐらいに、信頼関係はあるようだ。

「さ～て、できれば今日中にこの旅の醍醐味《だいごみ》を経験できたらいいですね～」

ペコラは速度を上げて、前に進んでいった。

ロボ怪獣なので、がたんがたんと音がうるさい。

「日が落ちてきたし、今日の宿を探したほうがいいかもね」

道の両側も木が茂りだして、ちょっとした山道っぽくなってきた。

「ですね♪」


なんか、今、ペコラが小悪魔的に笑った気がした。


前を進んでいるから、よくわからなかったのだけど。

「むっ……。今、魔王様が小悪魔的に笑ったように見えたのじゃ……」

ベルゼブブが疲れた顔をして、言った。

「あなたもそう見えたんだ。私も同じ」

「どうも不吉な予感がするのじゃ。わらわたちは仕組まれておるのかもしれぬ……」

「仕組まれてるって、三人での旅なんだから、何かあるとペコラも被害に遭うんじゃない？」

「それも込みで仕組んでおるのなら、何も問題なかろう……。なんじゃ？　どんなトラブルが起こるのじゃ……？」

ものすごく警戒しているな。ペコラと過ごした期間が私と全然違うからか。

道はだんだん険《けわ》しい登り坂になってきた。

登り坂なだけあってロボ怪獣の速度が落ちてきた。

あと、もう一つ厄介《やっかい》なことに——

「魔力の量の減りが早くなってきてる……」

「坂じゃからじゃろうな……。当然、平坦《へいたん》な道より魔力をたくさん消費するのじゃ……」

それはそうだよな。

あれ。

このままだと——山の中の道で魔力切れってことにならないか？

すると、前を進んでいたペコラのロボ怪獣が「ひゅう～～～～～～～」と例の魔力切れの時に出す、気の抜けた声で鳴いた。

「あら～、速度を出しすぎて早目に魔力が切れちゃいました。お二人、頑張ってくださいね～」

ペコラが私たちに手を振りながら言った。

悪寒《おかん》がした。

たしかに何か仕組まれている気がする。

たとえば、さっき一人で前に出たのも、燃費の悪い走り方をすることで、一人だけ先に魔力切れを起こすためだったのでは……？

「もう、突き進むしかないぞ、アズサよ」

ベルゼブブは諦めたような、悟ったような顔をしていた。

「このアーティファクトで進んだ先に泊まれるようなところがあると信じるしかないのじゃ……。たとえ、そんなものがとても見つからないような土地だったとしてもじゃ……」

「えっ、それってどういう意味……？」

「そのまんまの意味じゃ。この峠にはおそらく宿などない。馬車であれば、一気に通り過ぎて次の町で泊まれるじゃろうが……このアーティファクトだと中途半端《ちゅうとはんぱ》なところで止まってしまうぞ……」

げっ……。

「宿って、最初から予約されてたりしないの？」

「そんなものはないのじゃ。魔王様いわく、泊めてくれる場所を探すのも小説の醍醐味じゃったらしいからのう……。人気のないところでアーティファクトが止まるように謀《はか》っておられた気がする……」

そして、ベルゼブブの危惧《きぐ》は現実となった。

私とベルゼブブのロボ怪獣も、何もない峠道の途中で止まった。

しかも日もとっぷり暮れて、かなり暗い。

「どうしよう……？　さっきから周囲に建物すらまったくないんだけど……」

「このまま進むしかないのじゃ。引き返せる距離でもないしのう……。泊めてくれる場所が見つかるまで、このアーティファクトを押すしかない……」

私とベルゼブブはペコラの掌《てのひら》の上で踊らされていた！

ここで止まるわけにもいかないので、それぞれ自分のロボ怪獣を押しながら峠道を歩いていく。

押して歩くと、ロボ怪獣はたまに「ぐお～～～！」と変な声を上げた。

「うっさいのじゃ！　鳴くでない！　魔力切れの状態だったらせめて静かにしておれ！」

ベルゼブブが怒る気持ちもわかる。登り坂を押して歩くのはだるいしな……。

「今の性能の五倍は魔力を貯《た》められるのに、魔王様がそれをせんかったところでもっと疑っておればよかったわい。すべてはこの不便さの演出のためじゃった……」

「そうみたいだね。アーティファクトを押すのって、なんかみじめだ」

せめて下りの途中で充電切れになってくれれば、惰性《だせい》でそのまま進めただろうに。

本当に絶妙なタイミングで充電が切れている。

「ところでさ、この峠の道、いつまで続くの？」

「当分続くのう……。今になって思えば、この経路も魔王様によって完璧《かんぺき》に仕組まれておったのじゃ」

「どういうこと……？」

「この峠はたしかに直線距離で見れば短いルートじゃが、途中で魔力切れになれば、確実に難渋することになる。もし峠越えをやめて回り込むルートをとれば、大回りじゃが、住んでいる者も店も多いから、魔力切れでも対応できたじゃろうし、宿もあったじゃろ。とことん打つ手がないルートに進まされておった」

　ということは――

「このまま、押しても押しても宿も人家も出てこないはずだってこと……？」

　ベルゼブブがこくこくうなずいた。

「あの魔王め……！　なんて邪悪なんだ……。同行者の苦しむ顔を見るのが目的だなんて！　……この場合、ペコラも困りはするけど」

「じゃから、うかつに魔王様を甘やかしてはならんのじゃ。魔王様の行動理念は『楽しむこと』であって、『楽をすること』ではないからのう……」

　今度から、もっと警戒することにしよう。

　あと、薄暗い森に入ってきて、気にかかることがあった。

「ここさ、山賊が出たりしない？　かなり薄気味悪いんだけど……」

　人間の国だと、こんなところを夜に通るのは危険とされている。とくに商人なんかは避ける。

「山賊？　それなら問題ないのじゃ」

　あっさりとベルゼブブが断言した。

「よかった～。やっぱり、魔族の土地って治安がいいんだね」

　ベルゼブブが前方を指差した。

そこにこんな看板が出ていた。

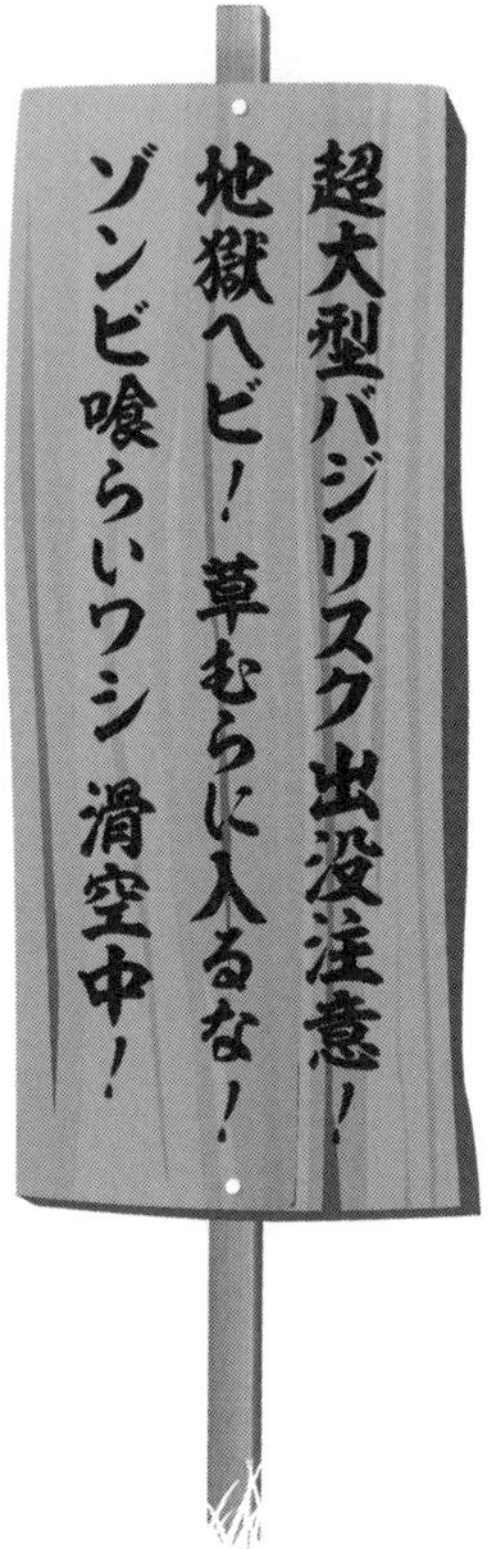

「山賊が住みつけるような環境ではないのじゃ。ここで定住できるほど強かったら、いくらでもつぶしがきくからのう」

「もっと危険ってことじゃん！」

山賊が出なければいいというわけじゃないぞ。

「落ち着け、落ち着け。わらわとおぬしで、そんなザコに負けるわけがないじゃろうが。むしろ、バジリスクが襲ってきたら、このアーティファクトに食べさせて魔力を補充してやる」

「それは怖いからやめて」

追い払うのはいいが、エサみたいにするのは、ちょっと……。

「なんでじゃ。自然界は弱肉強食じゃろう。こっちを攻撃しに来て負けたら、もはやそいつの命運はこっち次第じゃ」

そのあたりは容赦ないんだな……。

なんか、前のほうでごそごそ音がした。

それこそ怪獣と言っていいようなサイズのバジリスクが出てきた！

見た目は大きなトカゲに似ている。それと、二本足で立てるらしい。足はどことなく鳥っぽいかな。

——しかしバジリスクは私たちを見て、怖そうな顔をして、逃げていった……。

「なんか反応がムカつく！　こっちは化け物じゃないぞ！」

「いや、あの程度の獣からしたら、わらわたちは十分に化け物じゃ……。これはヤバいと思ったのじゃろう……」

レベルが高くて助かった。まあ、レベルが低いのにこんな道を進ませられたら、ペコラをガチで訴訟することになるけど。

そのあとも、バジリスクやヘビが飛び出してきては、結局すまなそうに帰っていった。

バジリスクの一体はなんと私たちの前に木の実を持って、やってきた。

「ええと……これ、くれるの……？」

バジリスクはうんうんと頭を下げた。献上してくれるらしい。

「どうやら、木の実をあげますから、この土地を荒らさないでくださいというようなことを言いたいらしいのう」

「こっちが山賊みたいな扱いになってるじゃん！」


「いや、これはこれでありがたいのじゃ」

ちょうど、ベルゼブブのおなかが、ぐぅ〜っと鳴った。

どうも、心外な誤解を受けているようだが、夕飯が手に入ったわけか。

「ペコラが来てないけど、夕飯にしていいのかな？」

「わらわの予想じゃが、魔王様はわざとゆっくりやってきておる。それに、ちゃんと追いかけてきてくれておるなら食事中に合流できるから、魔王様の分を残しておけばよい」

「そうだね。一回休憩ってことで……」


木の実は炎の魔法で焼いた。火を使っていい場所かわからないけど、魔王との旅の一部だし、それぐらいは許されるだろう。

「あっ、ほくほくしてて、なかなかおいしいね」

「そうじゃな。この木の実はわらわの地元じゃと、店に並ぶ時もあったのう」

ベルゼブブはやっぱり農林部門は詳しいようだ。

「そういや、ベルゼブブの地元ってどんなところなの？」

「う……げふん、げふん……。ううむ、なんじゃったかのう。思い出せんのう……」

「わざとらしすぎるわ！　そんなに言いたくないならいいよ。それなりにいいところの生まれなんでしょ。でなきゃ、そんなに偉そうにできないだろうし」

「うむ……。そうじゃ、そうじゃ……。昔から偉かったのじゃ……」

やけに動揺が激しいが、実家とケンカでもしているのだろうか？

今度、ファルファとシャルシャに聞き出させてみるか。私の娘にならあっさりと口を割りそうな気がする。

でも、無理に秘密を聞き出すのも悪いか。

「ペコラ、全然来ないね。まさか、一人で悠々《ゆうゆう》と宿で休んでたりはしないよね……」

「それはない。魔王様は自分も参加者の一人になることに意義を見出《みいだ》しておったからな。そういうズルはせん。ゆっくり、ゆっくり移動しておるのじゃろ」

「それはそれでどうなんだ」

ロボ怪獣の旅で、はからずもキャンプみたいなことになってしまった。

こういう先のわからない旅が面白いというのは、少しわかる。

「この木の実、本当においしいな。名前、知らないけど高級なナッツの味がする」

「さっきのバジリスクが味のよさそうな木の実を持ってきたようじゃ。贈答用だったのかもしれん。このあたりのバジリスクは仲間に食糧をプレゼントしたりするからのう」

「やっぱり、私たちが山賊みたいだな……」

そうやってまったりとペコラを待つ。


しかし、新たな恐ろしい敵がやってきた。

何か「ぶ～ん」という音がする。

「あれ、また、アーティファクトが鳴いてる？」

「いいや、こんな鳴き方はせんはずじゃぞ」

私たちのところに無数の虫の大群が飛んできていた！

「うわあ、なんだ、なんだ!? 虫なんて押して歩いてる最中は全然来なかったのに！」

「炎の灯《あ》かりに寄ってきたようじゃ！　こいつらはたかってくるぞ！」

光に反応しているのか……。

「あんまり来ないで！　来ると危ないよ！　あっち行って！」

私は軽く炎の魔法を発した。

近づくと焼けるぞという威嚇《いかく》だ。

しかし、虫はそんなことも気にせずにいくつもの塊《かたまり》になってやってくる！

「やばい、やばい！」

「あまり口を開けんほうがよいぞ！　口に入るのじゃ！」

「あっ、いいこと思いついた」

私は炎を出しながら、言った。

「おっ。そのいいことを早く試すのじゃ！」

「ベルゼブブ、ハエの王でしょ？　あっちに行けって言ってくれない？」

「バカにするでない！　別にハエとして生を受けたわけではないのじゃ！」

ダメだったか。自分の中ではいい案だと思ったんだけど。

ベルゼブブも吹雪《ふぶき》のようなものを起こす魔法で、虫退治をしているが、次から次へと虫がやってくる。

「たかが虫なのに、やけにしつこい！　高原の家のあたりにこんなのいないよ！」

「魔族の土地の虫はバイタリティがあるのじゃ。わらわは一度撤退する！」

ベルゼブブは森の中に入っていってしまった。

私も逃げたかったが、森は森で何があるかわからないしな……。

私はこの世界最強らしいけど、虫にはなす術《すべ》がない！

いや、世の中そんなものだろう。どんな格闘技のチャンピオンでも虫がぶんぶん飛んできたら、嫌だろうし……。ジャンルが違いすぎる。

「炎だと寄ってくるのかな？　だったら、ここは風で……」

私は小さな竜巻を起こした。

風はなかなか効き目があるらしく、虫たちがかなりばらけた。

「よし！　竜巻を連発するぞ！」

五発ほど小さな竜巻を打ったら、さすがに虫もいなくなった。

「はあはあ……久しぶりに魔法を使いまくった気がする……」

もう、何も出てこないでよ。肉体にダメージはないけど、精神にダメージを負ったので、しばらく休憩したい。

だが、今度は草むらのほうからがさごそと音がした。

なんだ？　バジリスクか？　騒ぎがあったから見に来た？

もし、超巨大なクモなんかが出てきた場合は、後先考えずにこの道を逆走するぞ。普通に怖いからね……。

私はいつでも逃げ出せる準備をして、音の正体が出てくるのを待った。

そして出てきたのは、大きなシカ――と、そのシカに乗ったベルゼブブだった。

「思ったより乗り心地がいいのじゃ」

「この森のヌシみたいな登場の仕方だ！」

それにしても角が異様に大きくて、さかさまにしたシャンデリアみたいになっている。生物として、間違った進化をしている気がする。シカ本体もベルゼブブを楽々乗せるぐらいには巨体だけど。

「こやつはツノオオキスギシッパイジカじゃな」

「魔族って動物にひどい名前をつけがちだよね……」

「意思疎通《いしそつう》もはかれるし、なかなかよいのじゃ。いっそ、このシカで峠越えを目指そうかのう。いや、峠越えと言わず、ゴールまで行けそうじゃ」

まさかの乗り物の現地調達！

でも、巨体のシカならそれぐらいは楽勝なのだろうか。なにより、魔力切れを起こして困ることもないしな……。

「シカはまだまだおるぞ。アズサも乗ってみたらどうじゃ？」

「じゃあ、お言葉に甘えようかな……」

草むらに入ると、馬みたいなサイズのシカがごろごろいた。

そのうち一体にまたがってみたけど、抵抗もしない。人に慣れているというよりも、友好的と言ったほうがいいかもしれない。

「いいね。ちょっと面白くなってきた」

私もベルゼブブがいるほうにシカで向かった。

「こやつら、人を乗せて移動すると、何か分け前にありつけると学習しておるの。峠越えで困り果てた旅人が里まで連れていってもらって、高級な食糧でもやったのではないか」

「このシカの様子からすると、あながちありえないことでもなさそうかな」

それにしても——

シカに乗るのって楽しいな。

馬とは違う感覚がある。揺れもロボ怪獣ほどじゃないし。つぶらな瞳《ひとみ》もなかなかかわいい。

「のう、エフォックまで乗せてくれたら好きなものをお前らの群れ全員にやるぞ。農相として約束するのじゃ」

マニフェストみたいなものをベルゼブブは話している。

言葉は通じないだろうと思ったけど、シカたちが集まって、何やら審議らしきことをはじめた。

「やけに賢い……」

「賢い奴らだけが苛酷《かこく》な環境の中で生き残れたのじゃろうな。バカはエサにありつけずに消えていったのじゃ。弱肉強食じゃ」

なんか、生々しい発言だな……。

やがてシカたちは私たちに向かって、こくこくとうなずくように頭を下げた。

「どうやら、交渉成立のようじゃな」

「本当に賢い！」

そんなシカのしぐさを見ていたら、だんだん愛着が湧《わ》いてきた。

「ここから先はシカでの旅っていうのも悪くないな。いい記念になりそ――」


「ダメです！　途中でルールを変更するのは反則《はんそく》ですよ！」


森によく通る声が響いた。

ペコラがロボ怪獣を律儀《りちぎ》に押しながらやってきていた。

「あっ、ペコラじゃん。ようやく合流できたんだ」

「魔王様、遅いですぞ。ゆっくり来すぎですじゃ」

「お二人とも、他人事みたいですよ！　わたくしは一人ぼっちで暗い森の中の坂道を泣きそうになりながら、よたよたとアーティファクトを押して歩いていたんです。それはそれは大変でみじめでした」

そうペコラは主張しているが――

「あなた、とてもいい笑顔で言ってるから説得力ないよ」

登山で山頂に到達した人が浮かべるような顔をしている。

「だって、何もないところでアーティファクトが止まって大ピンチっていう原作シーンを再現できましたから～」

完全にアトラクションを楽しむ感覚でいたな。

「あと、ペコラなら、これぐらいのアーティファクトならよたよた押す必要もないよね。いくらでも駆け上がれるよね」

私もベルゼブブもそれはできたけど、ペコラを待つ側だったので、やらなかったのだ。距離が開きすぎると合流しづらい。

「ダメですよ！　普通の人はそんな速度では走れませんから！　空気を壊すようなことを言ってはいけません！」

なかなか設定にうるさい魔王だな……。

「わたくし、この坂道を上がる間、とっても心細かったんです。山賊が出たらどうしようかと思いましたし」

「ここに山賊が住みついたりしてないのは、前に土地の調査で報告したはずですじゃ」

「しかも、バジリスクやヘビも出てきますし〜」

「どうせ出ても、すぐに逃げていったはずですじゃ」

「ベルゼブブさん、ロマンを攻撃しないでください！」

こういう反論の仕方をするということは、ベルゼブブの言ってるとおりなんだろうな。

「わたくし、夢だったんです。アーティファクトで旅をしたものの、峠の途中で魔力切れ……。途方に暮れながら、どれだけ続くかわからない道をアーティファクトを押して歩く……。人家の灯かりはないかなと探すけれど、そんなものもなくて……。これぞ『魔力をいただけませんか？』の真骨頂《しんこっちょう》じゃないですか！」

ペコラは目を輝かせながら早口で言った。

この子、中身は基本的にオタクだな……。

「真骨頂と言われても、その本、読んだことないからわからないよ」

「じゃあ、想像してみてください。何のピンチもなく、魔力切れで困ることもなく、目的地についたら物語としてつまらないじゃないですか。ピンチは起きなければならないんです」

「いや、こんな作ったピンチは偽物《にせもの》のピンチでしょ」

「あ〜あ〜あ〜。聞こえません。というわけで、ここから続きをやりますよ。このまま峠越えまで、アーティファクトを泣きながら押していきましょう！」

泣きながら押すっていうのは、元気な声で言うものじゃないぞ。

「そんなゆっくりしてたら明日になっちゃうよ。シカも乗せてくれるらしいし」

「別の乗り物を使うのなんていいわけないじゃないですか！　路線馬車の旅の途中でドラゴンに乗るようなものです！　どう考えてもアウトです！　それにアーティファクトを置きっぱなしにできません！」

たしかにこんなところにロボ怪獣を置いたままだと、路上駐車（？）になる。

「じゃあ、魔王様、全力でアーティファクトを押していくということで妥協してほしいですじゃ。それなら、峠のふもとの家ぐらいには着くはずですじゃ」

ベルゼブブがこう言ったが、ペコラは頬をふくらまして、抗議の姿勢を示した。

魔王らしく、今日は強情だ。

「いいえ、体力が常人離れしているという設定は反則です。それじゃ、なんでもアリになります。あくまでもゆっくりアーティファクトを押して泣きそうになるべきです！」

これはペコラがドMなのか、自分の好きな作品と同じ体験をしたいマニアなのか、どっちなのだろう。

しかし、これはどうやって現状を打開するべきか。

少なくとも、徹夜でロボ怪獣を押すのは嫌だ。

ペコラのことだから、私がお姉様の立場で「わがままもいいかげんにしなさい！」なんて言えば従ってくれる気はする。それはそれでペコラの好きなほかの作品と同じ体験をしたことになるからね。

とはいえ、姉の立場という権力を振りかざして、言うことを聞かせるのって、あんまりやりたくはない。

それは魔王という権力者がわがままを言っているのと、大差がない気がする。

その時、草むらから何かがこっちを見ているのに気づいた。

あっ、そうか。

これならどうにかなるんじゃないか。

「ねえ、ペコラ。仮に、このあたりで魔力の補充ができて、アーティファクトのリザードが走り出すなら何も問題ないよね」

「それはもちろんOKです」

だったら、どうにかできるな。

「少し待ってて。交渉してくる。言葉が通じるかわからないけど」

私は草むらの中に入った。

そこにいた動物に身振り手振りで、なんとか言葉を伝えようとする。

その動物はまたどこかに消えていった。

通じていてくれ。頼む！

――十分後。

周囲からがさごそと音がした。

たくさんのバジリスクが私たちの前にやってきた。

しかも、みんな、二本足で立って、前足（実質、手に当たる）で木の実を持っている。

まるで小型の怪獣が、ボスのロボ怪獣を動かすためにやってきたみたいに思えた。

ベルゼブブもペコラも呆然《ぼうぜん》としている。

「ベルゼブブ、ここのバジリスクは仲間に食糧を贈る習慣があるって言ってたよね。だから、頼み込んでみたんだ」

「そうか。こやつらからもらった木の実はアーティファクトの補充にも使えるのじゃな！」

「ベルゼブブがシカと交渉してたぐらいだから、バジリスクともやれるかなって思ったの」

私はドヤ顔でペコラのほうを向いた。

「これで、魔力の補充できるよね？　ルール違反じゃないよね？」

「う……。たしかに土地の人の温かいおもてなしにより、魔力の補充もでき、難関の峠を越えられたというのは感動的ですね……。わかりました、認めましょう」

土地の人がバジリスクだけど、地元民であることは事実だし、別にいいだろう。

「魔王様、今の言葉に二言はありませんな。今から峠をアーティファクトで進めば、ふもとの宿にでも泊まれるはずですじゃ」

ベルゼブブも寝床にありつけそうなので、ほっとしているようだった。

「バジリスクたち、ありがとう！　君たちはいい怪獣だよ！」

お礼の意味を込めて、私はバジリスクを撫でたり、抱っこしたりした。一般人だと持ち上げられないだろうけど、私のステータスなら問題ない。

「なんか、子供の怪獣を抱っこしてるみたい」

「怪獣って概念がようわからんのじゃ」

「こういうバジリスクやリザードみたいなモンスターや動物のことかな」


バジリスクからもらった木の実をロボ怪獣の口に入れて魔力の供給をして、私たちは再びロボ怪獣での移動をはじめた。

しかし、明らかに行程再開の前と様子が違っていた。

「ねえ、ベルゼブブ」

もはや聞くまでもないことだけど、聞いてみる。

「なんじゃ」

「一緒に走るメンバーが大幅に増加してるんだけど……」

私たちの後ろをバジリスクとシカがぞろぞろやってくる。

「シカはついてくるだけでいい食べ物をもらえると思って来とるの。わらわとの契約は続いておるという判断じゃろう。まあ、食べ物ぐらい安いものじゃ。あとで買うてやろう」

「バジリスクのほうはなんでなんだろ？　ついてきてとまでは頼んでないんだけど。食い逃げは許さんぞって追いかけてきてるのかな……。じゃあ、何かいい食べ物買わないとな……」

「いや、バジリスクはアズサを森の王とでも認めたんじゃろう。これは臣下として同行しておるのじゃな」

「魔王が一緒にいるから、森の王っていうのがややこしいな」

にぎやかなのは悪いことじゃないが、とんでもなく異様な集団になった。

「げ、原作でも旅の途中から仲間が増えるシーンもありましたし……これはこれでいいです……認めます……」

だんだんとペコラの解釈もガバガバになってきた。


私たちの集団は峠の下り道に差しかかると、一気にスピードアップして、ふもとの里に下りてきた。

その里にある宿の扉を叩いた。ちなみに交渉役はベルゼブブがした。

「あの、今から泊まりたいんじゃが。できれば何部屋かほしいのう」

「悪いけど、もう遅いから一部屋しか空いてないぜ」

ベルゼブブが後ろに視線をやった。

「魔王様がいらっしゃるから、集落に住んでる奴の部屋でも何でもよいから用意せよ。金なら魔王様が出すのじゃ」

「……ど、どうにかさせていただきます！」

結果、集落の公民館みたいな建物の部屋を使って、泊まることができました。

シカとバジリスクも公民館の前で集まって寝ている。

私も無事に部屋にありつけた。

――でも、私のベッドにペコラがいるのは、なぜなのか……。

「あのさ、隣の部屋空いてるよね……」

「ほら、部屋が足りなくて雑魚寝《ざこね》ということも、原作ではよくあることですから～。宿があるだけでもありがたいとしないとですよ」

原作準拠なのかペコラの都合なのか。原作を読んでない私には判断できない。

「まあ、いいや。騒いだりしないなら、それでいいよ」

「え～。恋バナとかしましょうよ～♪」

「そんなものは、ない」

ずっとペコラが話しかけてくるかもと警戒していたが、私もペコラも疲れていて、すぐに寝ちゃったので問題なかった。

体力はあっても、普段と違うことをすると、意外と疲れるものなのだ。

翌日も私たちはゴールのエフォックの町を目指して、ロボ怪獣で進んだ。

大きな町を進んでいるわけでもないのに、沿道には魔族がたくさん出てきている。

「ペコラが事前に連絡して人を集めておいたりしたの？」

「いえ、ここではやってません。多分、あれですね」

ペコラの視線が後ろに移動する。

シカとバジリスクが今日もついてきていた。

「そりゃ、目立つよなあ……」

目立ったのがプラスに働いたらしく、二日目は差し入れをもらう回数が激増した。

そのおかげで、魔力切れでピンチになることもなかった。

「もう、のんびり走り続けても三日目には目的地に行けそうだね。ピンチも発生しなそうだね」

「う～！　わたくしの完璧なアクシデントの計画が！　こんな予想外のアクシデントで失敗するなんて！」

「悔しがり方がおかしい！」

やはり、ピンチになるように仕組んでいたな。

たしかに事細かに魔力補給を確認しながら進めば、峠で身動きがとれなくなるなんてことは、なかなか起きない。きっと原作の小説でも上手い具合にピンチになったのだろう。

「でも、計画どおりにいかないのが旅というものですからね。別にいいです。むしろ、これこそ真の旅の楽しみ方です」

「おっ、ペコラ、悟ったみたいだね」

そう、計画変更も含めて旅だと思えば、暗い気持ちになることもなくやっていけるのだ。

「これは、後ろから来ておるあやつらにも報いてやらんとのう」

ベルゼブブが言った。うん、シカもバジリスクも元気についてきてるからね。

「シカはともかく、バジリスクもこんなに長距離走れるものなんだ」

「魔族の土地では弱い動物もモンスターも棲息《せいそく》できんのじゃ。弱肉強食なのじゃ」

ロボ怪獣が**「ぶおおおおっ！」**と叫ぶ。

それに合わせて、バジリスクまで同じように**「「ぶおおおおっ！」」**と叫びだした。

「あのさ、ベルゼブブ、ふと思ったんだけどさ」

「なんじゃ。もったいぶらずに、言うてみよ」

「バジリスクたちって、私じゃなくて、このリザードのアーティファクトを王だと思ってるんじゃない？　見た目も近いしさ」

「……その説は当たっておるかもしれんのう」

自分がリザードの王にされるよりはそっちのほうが気楽なのでそうであってほしい。

「いや、そのリザードに乗っているアズサこそ真の王と思っておるかもしれん」

「……うっ。その説も当たってるかもね……」


そして、三日目。

当初のペコラの計画だとこの日のうちにゴールできるかどうかというところだったらしいのだが、私たちは正午になる前にエフォックの町に入ってきた。

だんだん景色が都市になってきたので、スピードをゆるめる。両脇《りょうわき》には応援してくれている人が集まっている。

その中にはポンデリやノーソニアといった面々《めんめん》の姿もあった。

「お疲れ様で～す！」

「もうちょっとですよ～！　汗をよく吸う服、あとで送りますね～！」

これだけ声がかかると素直にうれしいな。

「みんな、ありがと～！」

私も声を上げる。一緒にロボ怪獣が**「ぐおおおおお」**となる。

さらにシカとバジリスクも鳴き声を上げていた。

そして、いよいよゴール前というところでは、私の家族とリヴァイアサン姉妹《しまい》が待っていた。

「アズサ様、三日間、見事なご活躍でした！」

「帰りはフラットルテの背中に乗って、ヴァンゼルド城まですぐなのだ！」

ドラゴン二人の声がまずよく通る。

「別に人跡未踏の地の探検をしたわけでもなんでもないけど、無性に感動してきた」

「でしょう？　これがあるからこそ、つらい旅でも負けずに続けられるんですよ！」

ペコラがしたり顔で言っている。

「いや、あなたはむしろつらい部分のほうを楽しんでたでしょ……」

そんなことをペコラと話していると、

「ファルファ、シャルシャ、サンドラ、帰ってきたのじゃ～！」


ベルゼブブが手を振って叫んでいた。

「私より先に娘の名前を呼ぶのやめろ！　ルール違反だから！」

「そんなルールはないのじゃ！」

そんなことを言いながら、私たちはゴールのテープを切った。

「やったー！　到着したー！」

私のところに娘たちが集まってきてくれた。

「お疲れさま！　ママ、シカさんとお友達なんだね！」

「今までに前例のない光景。大変興味深い」

うん、ファルファもシャルシャもお出迎え、ありがとう。

「動物はほかの動物同士でも群れるものなのね。よくやったじゃない」

サンドラも植物目線で歓迎してくれてるんだね。

こうして、私たちはすぐに走れなくなる変なアーティファクトでの旅を終えた。

ゴールまで来たシカとバジリスクにも最高級の食材が農務省から送られていた。

ここに棲《す》みついちゃうとまずいから、ちゃんと地元には帰ってね。

◇

しかし、高原の家に戻ってみると、旅の副作用が待っていた。

「お師匠様、貧乏ゆすりってやつが激しいですよ。会社を経営している身としては不吉なんで、もうちょっと控《ひか》えてください……」

ハルカラにそう指摘された。

「またやってたか。いやあ、揺れまくるアーティファクトに三日乗っていたせいで、揺れないと落ち着かないんだよ」

貧乏ゆすりがなくなるのに一週間ほどかかった。

また、機会があったら、シカとバジリスクたちにはお世話になりましたってあいさつに行かないとな。

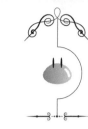

死神のところに行った

She continued destroy slime for 300 years

その日、私は何とも不思議な空間に招待された。

不思議といっても、ＳＦチックなサイバー空間とかではない。どこにでもある町の大通りの一画だ。

では、何が不思議かというと――


「あっ！　また、通行人が私とテーブルをすり抜けていった！」


やけにむずがゆくなって、私は軽く身震いした。

これって、アレだな……。ヘアーカットのお店で、ハサミが頭に近づいてきた時に感じる気持ちに似てるな……。

「あらら～、アズサさん、なかなか慣れませんね～。そんなことじゃ落ち着いてティータイムを楽しめませんよ？」

メガーメガ神様がビギナーを微笑《ほほえ》ましく見るような目で言った。

「まったくである。この程度の神の奇跡であわてるなど、そなたには威厳というものが足りんな」

メガーメガ神様の隣（といっても、私を含めて三人で座ってるから全員、隣だけど）のニンタンも淡々《たんたん》とそう言った。

「いやいやいや！　だったら、最初からもっと落ち着いた場所でお茶したらいいでしょ！　ガシガシ人が私たちを通過というか透過していくから！」

私がそうツッコミを入れてる間にも、メガーメガ神様の中を通行人が一人すり抜けていった。

この不思議な空間は、普段私がいる世界と限りなく重なってるけれども絶妙にズレているらしく、通行人にはまったく見えず、声も聞こえず、触れることもないのだ。

細かい設定は神ではないので知らない。案外、神のほうもわかってないかもしれない。鳥がどんなメカニズムで空を飛べるか知らなくても飛べるように。

そんなわけで、私たちがお茶を飲んでいる最中も通行人に通られる。

最初から認識できない側の人は何も問題ないかもしれないが、こっちとしては知らない人が自分の中をしょっちゅう通過するわけで、とにかくもぞもぞする。

「やたらと気が散るし、もっと人気のないところに集まったほうがよかったんじゃないですか？」

「アズサさん、わかってませんね～。こうやって市井《しせい》の人々を眺めながらお茶を楽しむのこそ、神の特権じゃないですか」

メガーメガ神様がちょっとドヤ顔で言った。

「私は神じゃないのでそんな感覚わかりかねます」

むしろ、わかりまくってたら、かなり傲慢《ごうまん》な奴《やつ》だと思う。

「アズサよ、神たる者、常に世の中を見ておらねばならぬのだ。これも神の仕事のうちである」


珍しく、ニンタンもメガーメガ神様に同調した。

「おっ、あの女、年齢の割に服が派手《はで》すぎるな。あれでは無理して若さを出してるように見えて、かえって年がいってるのを感じさせてしまうので逆効果であるぞ。あの若者もイキッて高い服を着ているが、似合っておらぬ。服に着られておるといったところか」

「ファッションチェックしてるだけだろ」

「むっ、あの男は離れた村に住んでおるのに、わざわざここの安い市場まで買い出しに来たのじゃな。往復の移動の疲労度を考えたら、素直に自分の村で買ったほうがいいと思うが、百ゴールドでも安く買うのが勝利条件のゲームをやっておると考えれば納得もできる」

「人間観察の内容に生活感がありすぎる」

さて、なんで私が神二人とお茶をしているかというと――

さっき、フラタ村での買い物を終えて帰宅した私の頭に、メガーメガ神様がいきなり話しかけてきたのだ。

——アズサさん、ニンタンさんがティーパーティーをやると言ってるので一緒に来てください。お茶会やります。ティーパーティーは人数多いほうがいいし、お茶会は二人でやると話が途切れた時、気まずいんで！

私が「ティーパーティーかお茶会か、表現はどっちかに統一してください！」とツッコミを入れた時には、この空間に飛ばされ、今に至る。

何人も知ってるわけじゃないけど、神の方々は全体的に強引《ごういん》な傾向があると思う……。

メガーメガ神様以外の神様はニンタンだけだから、これは単純にニンタンと一対一になるのが嫌で召集したのではないかという気がしている。

メガーメガ神様は軽い性格なので、ニンタンと合わないところが多いのだ。

お互い、相手に合わせる気はまったくないしね……。

とはいえ、こうして来てみると、二人は気さくに話しているようだし、ニンタンへの苦手意識も解消されてきたのだろうか。

「メガーメガよ、そなたもこの世界になじんできたようじゃのう」

やっぱりメガーメガ神様もここで神様をやるのが自然になってきたんだ。あまりメガーメガ神様を褒《ほ》めなそうなニンタンの言葉だから信憑性《しんぴょうせい》が高い。

「まだまだあいさつしてない神も多いんですけどね。道なかばといったところです」

おっ、珍しくメガーメガ神様も謙虚《けんきょ》だ。

「そんなことはないじゃろう。前の神の飲み会にも顔を出したではないか。あれで、効率よく顔見せができたはずであるぞ」

神も飲み会してるのか……。

そこはもっと神々《こうごう》しく、特別な感じでやってほしいな。

私は複雑な気分でお茶を飲んだ。ちなみにお茶は異常に美味《うま》い。非の打ち所のない技術でいれられているうえに、水も名水の中の名水なのかもしれない。

「いえ、飲み会に来るような人は最初から、まあまあ交流が活発な性格だから、どうにでもなるんですよ。問題は飲み会に来ないタイプの方と、どうやってあいさつするかです」

なんか、人間の世界と大差ない問題を話してるな……。

「そういう籠《こ》もりがちの人とのあいさつができてないうちは達成率も四割ってところです。ほら、ゲームでも簡単に捕獲できるキャラと、滅多《めった》に出現しないレアキャラがいるでしょ。それみたいなものです」

「おい！　ゲームのキャラでたとえるでない！　失礼であるぞ！」

これはニンタンもキレていい。

こういう発言をするから、メガーメガ神様もカエルにされたりするんだ。

「だって、本当のことじゃないですか。たとえば、この世界の死神さんともまだ会ってませんし」

その言葉に私はびくっとした。

「あの……死神って神様、やっぱりいるんですか……？」

死神といえば、人を死後の世界に連れていく、あの恐ろしい存在だ。

よく骸骨《がいこつ》みたいなのが黒いフードをかぶって、鎌《かま》を持っているイメージがある。

もっとも、転生という概念があるぐらいなので、死者の魂が永久に死神に捕らわれたりするなんてことはないと信じたい――が、詳しいことはわからない。

死神に捕らえられた不幸な魂に関しては、地獄みたいなところにいくのかもしれない。私だって、死んで転生した記憶も一度しかないし。

大半の死者は死神に地獄に連れていかれて、そこで社畜《しゃちく》みたいに何十年も働かされてから、転生したりするのかも。

転生できるならまだいいけど、ずっと地獄から出られないなら最悪だ。

「おっ、そなた、死神と言ったな」

なんだ、ニンタンとしても死神は特別な存在ということだろうか。やけに食いつきがいい。

「死神さんは、たいていいるんじゃないですか？　もちろん、世界によって異《こと》なりますけどね。自分が知ってる範囲だとほぼいましたね」

メガーメガ神様の口から、気楽にとんでもない情報が開示された。

「死神か。この世界にもおることはおるが、あやつは変わり者じゃからのう」

ニンタンのこの発言からすると、存在するのは確実らしい。

なお、ニンタンはずずずずっと大きめの音をたてて、お茶を飲んだ。

そこで音をたてるのはマナー的にいいんだろうか。

「なにせ、ものすごく長期間、小説を書いておるからな。あれはいつ完成するのだ？」

「小説書いてるの⁉」

神様がやることとは思えない趣味だ。

「うむ。かなり、こじらせておってな、自分が存在する証《あか》しを残すには文学が一番だとか言って、ずっと書いておる」

それだけでこじらせていると考えるのは早計だけど、変な気合いの入り方をしている神であることは、なんとなくわかる。

「なんじゃったら、今から会いに行ってみるか？　場所なら朕《ちん》が知っておるからな。あやつもたまには誰《だれ》かと会ったほうがよいし」

そいつの家なら近所だけど、今から行く？　というノリで言われてるけど、死神に会うのか。

大丈夫なのかな……？

いくらなんでも私も死神に会うというのは怖い。怖くない人のほうが少ないと思う。

「あの……私はこの世界最強だとか言われてはいますが、人間は人間なわけで……。死神に会って、いきなり魂抜かれたりなんてしないですよね？」

「馬鹿者《ばか》。そんな危《あぶ》ない奴であったら『そいつの家なら近所だから、今から行く?』なんてノリでは提案せぬわ」

やっぱり、ニンタンもラフなノリという自覚はあったんだな。

「いいですね、いいですね! そういう時はどんどんノッていきましょう!」

メガーメガ神様が右手をぶんぶん振り上げている。やっぱり、この神は軽い!

「人生は一期一会《いちごいちえ》ですよ。会えるチャンスがあったら会うべきです!」

死という概念がない神様がその四字熟語を使うのはどうなのか。

しょうがない。安全ということだし、行ってみるか……。

「わかりました。それじゃ、私もついていきま――」

◇

「――す」

と答えた時には、やけに殺風景な土地に移動していた。

「了承を得られたので、空間転移をした。ここが死神のおるところである」

「展開が速すぎる!」

だいたい、答え終わる前に、もう到着していたぞ。「ついていきません」と答えてた可能性も一応あったぞ。

「それにしても、面白《おもしろ》くなさそうな土地ですね〜」

メガーメガ神様は周囲をきょろきょろ眺めている。

いきなり知らない土地をディスると、地元民が聞いていた場合に怒りそうだが、地元民なんてものが存在するのかすら怪しいほどに荒涼《こうりょう》としたところだ。

周囲に集落らしきものはなく、地面もかさかさに乾燥している。離れたところに岩山みたいなのがあるが、岩山とひと目でわかるぐらいに草木が何も生えていない。

地元民がいても、この土地を「自然が豊かなところです」とは言わないだろう。

「さすが死神がいそうなところというか……。荒れ果ててるなあ……」

正直、こんな機会でもなければ永久に来なかったと思う。

来たとしても、やることもなさそう。薬の材料になる植物も少ないはずだ。

「ここは俗に『世界の果て』とも言われておる場所であるな。朕も死神がおらんかったら、来ることはなかった。なにせ、朕を信仰しておる人間も住んでおらんしな」

やっぱり神は信仰してくれてる人がいないところはスルーするのか。

「あの岩山のふもとに死神は住んでおる。せっかくであるから、歩いていくとしよう。こんな機会がないと歩くこともなかろう」

ニンタンは最初から、この土地を見学させるために死神から離れた場所に飛ばしたのか。

ある種、粋《いき》なはからいと言えなくもない。行くと了承した瞬間、目の前に死神がいたら心の準備ができてなくてテンパりそうだ……。

「わかったよ。じゃあ、歩いている最中に面白いスポットでもあったら紹介して」

「いいですね〜。最近有酸素運動が足りてなかったので、ありがたいです！」

私もメガーメガ神様も納得して歩き出した。


——一時間後。

まだ私たちは荒野を歩いていた。

「遠い！　あと、景色に変化がなさすぎる！」

あの岩山、想像よりもずっと奥にあったんだな……。

「そうであるぞ。ここは世界一つまんない場所として認定されたことすらあるからな。正式名称を虚無荒野《きょむこうや》と言う」

「地名がひどすぎる」

「この何もなさを味わいに年間六人ほどの観光客が来る」

「二か月に一人！」

なお、さっきからメガーメガ神様は飽きてしまったのか、死んだ魚の目をして、空中を漂《ただよ》っていた。神様だから飛んでいけるのだ。私も浮けるけど、空を飛び回れるほどの汎用性《はんようせい》はない。

——と、何かの立て札が荒野にぽつんとあった。

「おっ、ついに人の痕跡《こんせき》が！」

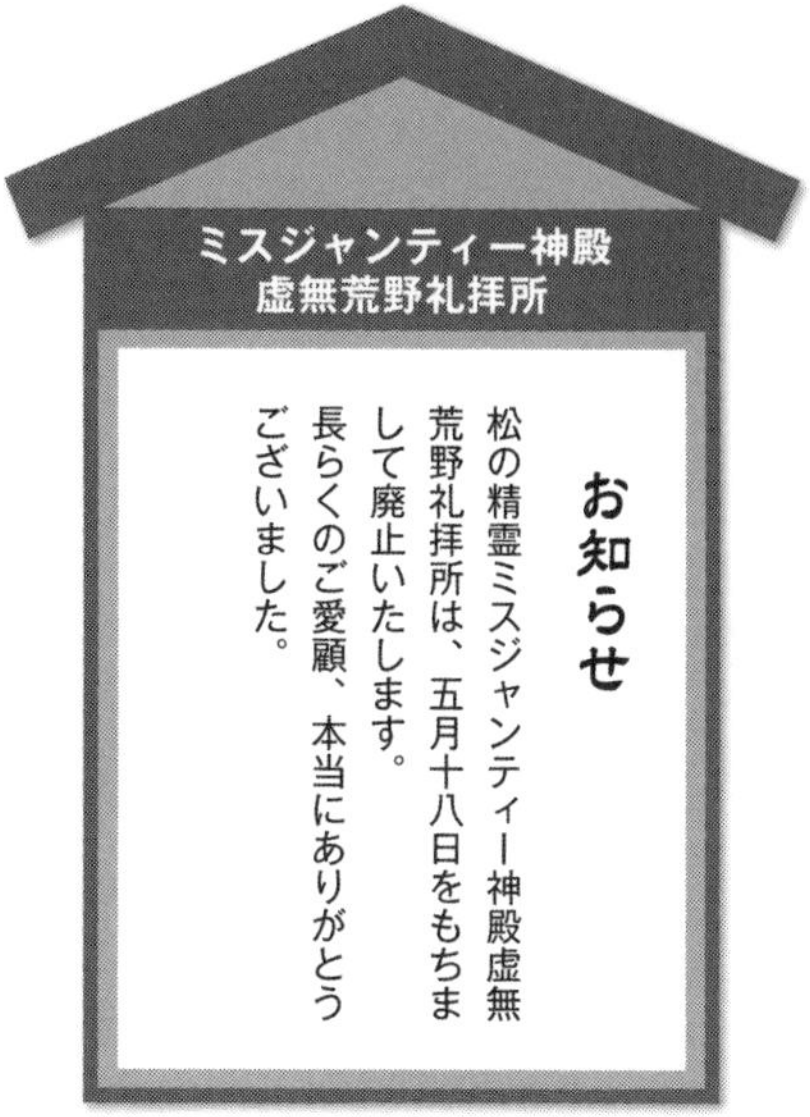
ミスジャンティー神殿
虚無荒野礼拝所
お知らせ
松の精霊ミスジャンティー神殿虚無荒野礼拝所は、五月十八日をもちまして廃止いたします。
長らくのご愛顧、本当にありがとうございました。

「ミスジャンティー、何してるの⁉」

いや、より正確に言うと「何してたの⁉」か。そりゃ、こんなところで信者を獲得しようとしても無理だよなあ。ここで結婚式を挙げる人もいなそうだし。地元民でも違うところでやるだろう。

店舗を出しすぎて失敗した典型的なケースだと思う。

「おやおや、アズサさん、このへん、立て札がいろいろありますよ！」

メガーメガ神様が急に元気を取り戻した。たしかにさっきまでの何もないのと比べれば、何かあるだけでも楽しくなってくる。

私は近くにあった立て札を見に行った。

お客様各位
閉店のお知らせ
冒険者ギルド虚無荒野店は、三月末日をもって
閉店とさせていただきます。
今後の手続きなどは、虚無荒野入り口の村店で行います

ここも閉店！　そういえば何か建物のあった痕跡がある気がする。

あっちは何か地面に轍《わだち》の跡みたいなのが見えるぞ。その近くにまた立て札がある。

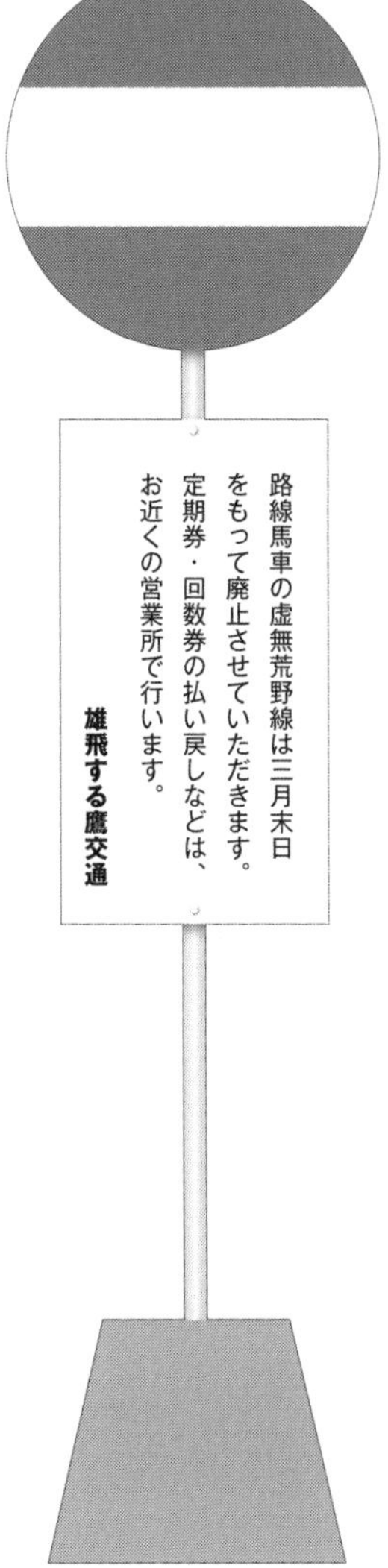
路線馬車の虚無荒野線は三月末日
をもって廃止させていただきます。
定期券・回数券の払い戻しなどは、
お近くの営業所で行います。
雄飛する鷹交通

路線馬車も廃止！

もうすべてが終わってしまっている！

「ていうか、ここに公共交通機関が来てたのがびっくりですよ。利用者なんていたんですかね？」

「そうそう。メガーメガ神様の言うとおりですよ。昔は住人がいたってこと？」

ニンタンがこくりとうなずいた。

「この虚無荒野も最盛期は十七人もの人間が住んでおったのだが、だんだんと人口が減少し、誰もいなくなってしまった。過疎化の波はこんなところにも来ておったのであるな」

「過疎化とかそういう次元じゃないと思う。何をして暮らしてたの……？」

「できるだけ辺鄙《へんぴ》な場所を求めていた隠者が、ここここそ世界一辺鄙なところだと本に書いてのう、それ以来、隠者界隈《かいわい》で注目され、移住する隠者が増えた」

「注目された土地に住むって、隠者の生き方としておかしくない？」

人の噂《うわさ》や話題に流されずに隠《かく》れ住む場所ぐらい選んでほしい。

「ただ、水を入手するのにも高い輸送費を払う必要があるので、経済力のある隠者しか長くは住めず、問題が多かったようであるぞ。最近の隠者の流行は都市部に近い山中に籠もることのようじゃ」

「隠者が利便性を重視しないでよ……」

「朕は隠者ではないから知らん。それに、隠者なんて『自分は俗世から離れて立派に生きてます』とアピールするのが好きな浅はかな連中よ」

なんか、神による隠者批判がはじまったぞ。

「正直、隠者など神殿に寄進する額も小さいので、どうでもよい」

「ぶっちゃけすぎ！」

「じゃが、あんなことを書くような連中であるぞ」

ニンタンが指し示した廃屋に張り紙がしてあった。

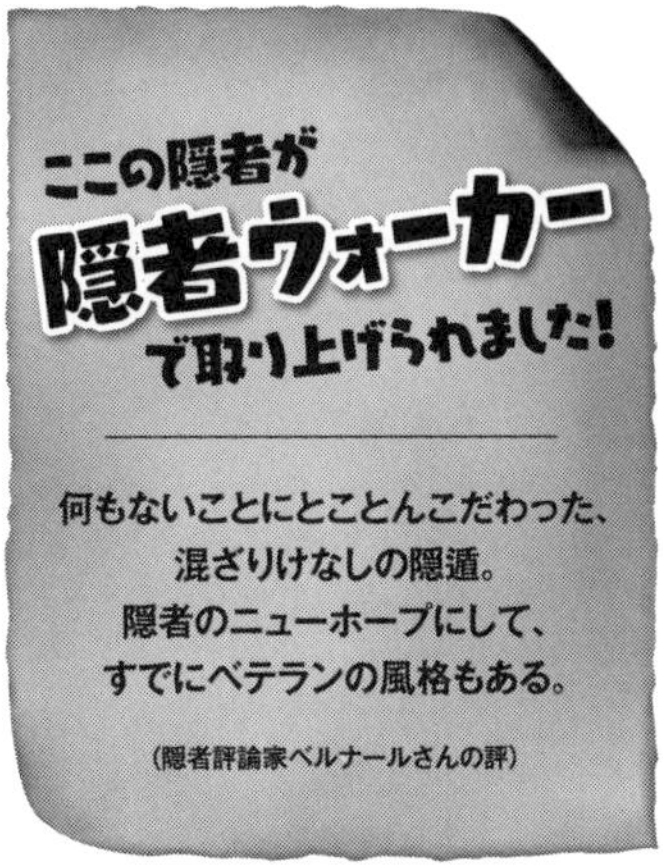

「頭の上から足の先まで悟れてなさそう！」

「このていたらくよ。俗物なのは構わんが、それだったら金をじゃぶじゃぶ寄進してくれる俗物のほうが朕はうれしい」

隠者のこんな浅はかな振る舞いを知ったら、ニンタンみたいに批判的にもなるか……。

一方、メガーメガ神様はほぼ何もない土地を、きょろきょろと観察していた。

神様の視点だと、いろんな発見があるものなんだろうか。

「次に転生する人が、静かな土地がいいってリクエストしてきたら、ここにしましょうかね〜」

「それはひどいからやめてあげてください！」

転生した瞬間、詰《つ》んでしまう。

悪魔と契約して頼み事をしたら、ウソは言ってないけど、明らかに意向と違う願いのかなえ方をされて、ひどい目に遭《あ》うやつだ。寓話《ぐうわ》でよくあるやつだ。それを神様がするな。

「さて、だんだんと死神の住んでおるところが見えてきたぞ」

ニンタンが岩山のほうを指差す。

ようやく岩山も近づいてきていた。

そのふもとに、たしかに住居らしきものが建っているのがわかった。

「ここで暮らす者がおらんようになってからは、死神も普段から実体化して暮らしておる。行けばアズサでもすぐに出会えるであろう。どうせ、会いに来る者などおらんからのう」

「だろうね……。ここに来る理由のある人もいないだろうし……」

目的地がわかったので、私の足も少し速くなった。

ようやく私たちは死神が住んでいるという、その住居に到着した。

「普通だ。ものすごく普通だ……」

ぱっと見、おどろおどろしいところはない。外観は人間の家と何も変わらない。

できれば庭ぐらいはほしいところだけど、荒野だからまともに植物も育たないのかもしれない。

買い物が不便そうだけど、それも神なら問題ないのだろう。

「うわ〜、信者少なそうですね〜」

「おい、悪口はよくないぞ」

ニンタンがメガーメガ神様をたしなめた。

神の場合、信者の数がマウンティングの材料になるようだ。

「諺《ことわざ》にもあるであろう。『悪口を言うとカエルになる』と」

「それは、ニンタンがカエルにしてるだけだろ！」

この神様はすぐに嫌いな相手をカエルにしようとするので厄介《やっかい》だ。

「とにかく、あいさつしましょう」

メガーメガ神様がドアの前で、二度頭を下げた。

そのあと、ドアをコンコン二度叩《たた》いた。

それからまた一度頭を下げた。

「なんか神社の参拝作法みたいなことしてる！」

絶対、ネタでやってるだろ。そんな方式はこの世界にはないだろ。

「いや～、神様だしこういう呼び出し方のほうがいいかなと思ったんですよね～」

すると、さほど時間も置かずに、ドアノブが動いた。

ついに死神が出てくるぞ……。

いかにも死神っていう感じの怖い神様ではありませんように……。

骸骨が黒のフードをかぶってたりしませんように……。

出てきたのは「毛」だった。

もちろん髪の毛一本が出てきたのではなくて、大量の毛のかたまりだ。

広がりすぎてボール状でなくなってしまったマリモみたいなものが目の前にある。

もしや人の形態すら取ってないのか？　毛むくじゃらの動物なのか？　神様が人の姿をしているのが普通だとは限らないけど。

すると――その毛の中から、にょきっと二本の白い手が出てきた。

びくっとした！

映像としてはかなりホラーな内容だ。

その二本の手が毛をかき分けはじめた。

しばらくすると、毛の中から顔と体が出てきた。

どうやら女の子であるらしい。

体のサイズ自体はサンドラよりもさらに小さいぐらいなのだけれど、髪が多すぎるのであまり小さい印象はない。

「おお、死神よ、久しぶりである。新参の神と知り合いを連れてきた」

ニンタンが簡単に紹介をした。この口ぶりだと面識は普通にあるようだ。

「……わかった」

ぼそっと小さな声で死神は言った。

こんなところに籠もっているぐらいだから、人付き合いというか神付き合いはあまり得意でないのかもしれない。

私とメガーメガ神様は簡単な自己紹介をした。メガーメガ神様はいつもどおりの気楽なものだったが、私としては死神相手なので少し緊張した。

「小生の名は……オストアンデ。よろしく」

この神、一人称が小生だ。私、リアルでの一人称が小生の存在、初めて見た。

「そなたは飲み会などにも顔を出さんからな。こうして、新参を連れてきたわけよ。軽く話でもするがよい。できれば、面白い話をせよ」

ニンタン、なかなかの無茶振《むちゃぶ》りだな。

「……簡単な話でよければ。何もないところだけど、どうぞ」

その死神はくるっと体を後ろに向けた。髪の毛もそれに連動して動く。

体が隠れると、途端に謎《なぞ》のモンスターみたいな印象になる……。

「わ～い、お邪魔します～♪」

メガーメガ神様が軽いノリで家の中に入っていったので、私もそれについていった。

人生で初めて、死神の家に入った。

ドアの奥はそっけない木のテーブルが置いてある部屋だった。テーブルはかなり雑然としている。

いくつもビンが並んでいた。

「飲み物……そんなにない」

毛がしゃべっている感じがある。

「あっ、お構いなく！　神様だから人間が飲むものなんてないですよね！」

「そのテーブルに酒だけある……。適当に飲んで」

テーブル上のビンはどれもとてつもなく度数の強い酒だった。

思った以上に頽廃《たいはい》的！

でも、死神だし、それで正しいのかな？

「じゃあ、私はいただきますね～」

メガーメガ神様はどこからともなく、コップを出してきて酒を入れていた。このあたり、遠慮《えんりょ》がない人だ。

で、メガーメガ神様がお酒を飲んでる間にこんな声が聞こえた。

「小生は、死神。説明は……以上」

………。

もしや、今ので話はすべて終わったということだろうか？

たしかに死神であるということは本人の口から聞いたので、終わりと言えば終わりだけど、いくらなんでも短すぎると思う。

「すまんな……。こやつはコミュニケーションをほぼしない奴なのでな。面倒なので、ここからは朕が話を振る……」

少なくとも死神がどういう性格の神なのかはわかった。

「ほら、オストアンデよ、せっかくだし、趣味のものを見せてみるがよい」

「……了解」

蚊《か》の鳴くような小さな声で返事が来た。

また、あの大量の毛を引きずって、死神は隣の部屋に行った。

「アズサさん、ある意味、死神らしい死神ですね。少し安心しちゃいました」

「え？　死神らしいんですか？」

「ですね。魂をどんどん集めるぜってキャラが死神やると、トラブルになりがちなんで。まだまだぴんぴんしてる人の魂を持ってきたりされると、ややこしいんですよ。人間社会でも営業の成績を上げるために、強引な勧誘や詐欺まがいの説明をする人とかいますよね。それと一緒です」

「メガーメガ神様と話してると、神の威厳がどんどん落ちますね」

あんまり人間でたとえないほうがいいと思う。

「死神は任されてる仕事だけをこなして、あとは何もしないというようなキャラのほうがいいんです。なので、ここの死神さんみたいな方がやってることが多いんですよ」

「わかったような、わからないような……」

じゃあ、黒いフードをかぶった死神みたいなのはあまりいないのか。

しばらくするとオストアンデという死神が戻ってきた。

毛のいろんなところに紙の束が巻きつけられていた。

「なんか、前衛的なファッションみたいになってる！」

「……好きなだけ読んでくれていい」

読んでいいってどういうことだろうと思いつつ、髪に巻きついている紙の束を一つとった。

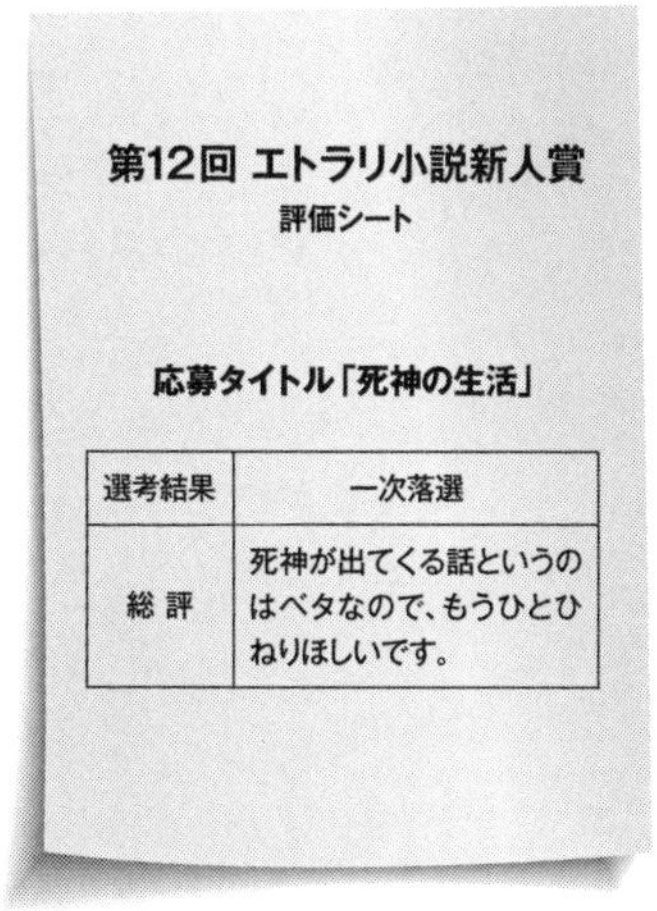
第12回 エトラリ小説新人賞
評価シート

応募タイトル「死神の生活」

選考結果	一次落選
総 評	死神が出てくる話というのはベタなので、もうひとひねりほしいです。

「小説の賞にも応募している！」

そういえば、小説を書いているとは言ってたな。でも、投稿しているとは想定外だった。

「アズサさん、そっちもですか？　この紙も新人賞の名前とタイトルがついてますね。総評は『死神がヒロインなのはありきたりなので、もっとオリジナリティを出してください。あるいは実体験を踏まえてください』と書いてあります」

もしかして、この人、投稿しまくっているのか？

「オストアンデはな、暇《ひま》をつぶすために五百年ほど前から小説家の道を志して、各地の新人賞に応募しておる」

「……死神ネタは使い古されてるからダメ。五百年前から言われてる」

ぼそりとオストアンデが言った。

私は小説業界のことはよく知らないが、死神が死神の小説を書くと、結果的にベタになってしまうらしい。

これ、あんまり向いてないことをやってしまっているのではないか？

「……小生、人の死を飽きるぐらい見てきたので……小説は向いていると思い、応募をはじめたが……」

長いセリフだからか、そこでオストアンデは一息ついてお酒のビンをラッパ飲みしだした。

そんなところは無頼派《ぶらいは》！

「……ぷはっ。されど、応募しても応募しても……『よくある設定』だとか、『リアリティがない』などと言われる……」

本来、ものすごくリアリティあるはずなのに！

なかなか難しい問題だ。まさか死神が投稿してますと言うわけにもいかないし、言っても信じてもらえないだろうし。

「……あまりに結果が出ず、穴があったら入りたいと思った時もあった……」

ずももももっと、変な音を出してオストアンデは自分の髪の毛の中に入っていった。それは穴じゃない。

「おい、戻ってこい！　そこに隠れてもなんにもならん！」

ニンタンが叫《さけ》ぶと、また、ずももももっと音をたてて、オストアンデが毛から出てきた。

元々明るい表情はしてなかったけれど、暗い話をしたからか、さっきよりもつらそうな顔になっている気がする。

上手《うま》くいかないことが多くて沈んでいるのだろうか。

「……髪の毛が口に入った」

「それは自業自得《じごうじとく》であろう」

ニンタンの言うとおりだ。ていうか、つらそうな顔をしてた理由はそれか。

「そなたが以前から小説を書いておったのは知っておるが、たかだか五百年ではないか。五千年、五万年とやっていけば、いずれ芽も出よう」

神様らしい独特の慰め方で、ニンタンはオストアンデの肩（？）をぽんぽんと叩いた。毛に覆《おお》われているからよくわからん。

でも、いくらなんでも五万年はやりすぎだと思う。

「……わかった。五万年でも五十万年でもやる」

さらに桁《けた》が上がった！　三百歳程度の若造の私だと、もはやイメージすることもできないや……。

「それに五百年続けられておるということは、趣味として成立しておるということであろう。ならば何の問題もない」

「……そのつもり」とオストアンデもうなずいた。

たしかに好きでもなければ五百年は続かないと思う。

「ほかの神でも詩を作るとか言い出した者がおったが、三十年坊主になっておったからのう」

三日坊主みたいな言い方だけど、息が長い！

やっぱり神の基準だと、価値観が何かと異なるな……。

ちょいちょいとメガーメガ神様が私の肩を叩いてきた。

「アズサさん、見てください。壁にやる気を出す言葉みたいなのが貼《は》ってありますよ」

魂を込めろ

「死神が書くと、違うニュアンスが混じってそう！」

ただ、そのおかげで気になることを一つ思い出した。せっかくなので、質問しておこう。

「あのオストアンデ様」

「……オストアンデでいい。あがめられるような命の取り方はしてきていない。ため口でいい」

あまり偉そうなタイプの神ではないんだな。神の時点で本当に偉いのだけど。

「ええと、じゃあ、オストアンデと呼ぶけど……その、死神のお仕事ってどんなことをやってるの？」

この子は小説を書くのが仕事の神ではなく、あくまでも死神なのだ。

本業のほうをちっとも聞いていないままだった。

「……サインするだけ。すぐ終わる」

ぎりぎりで聞き取れるぐらいの声で言うと、オストアンデはまた毛を引きずって隣の部屋に行った。

それからまた髪に書類の束を巻きつけて帰ってきた。

「ほんとは見せてはいけないのだが……まあ、いい」

オストアンデがぺらりと書類をめくった。

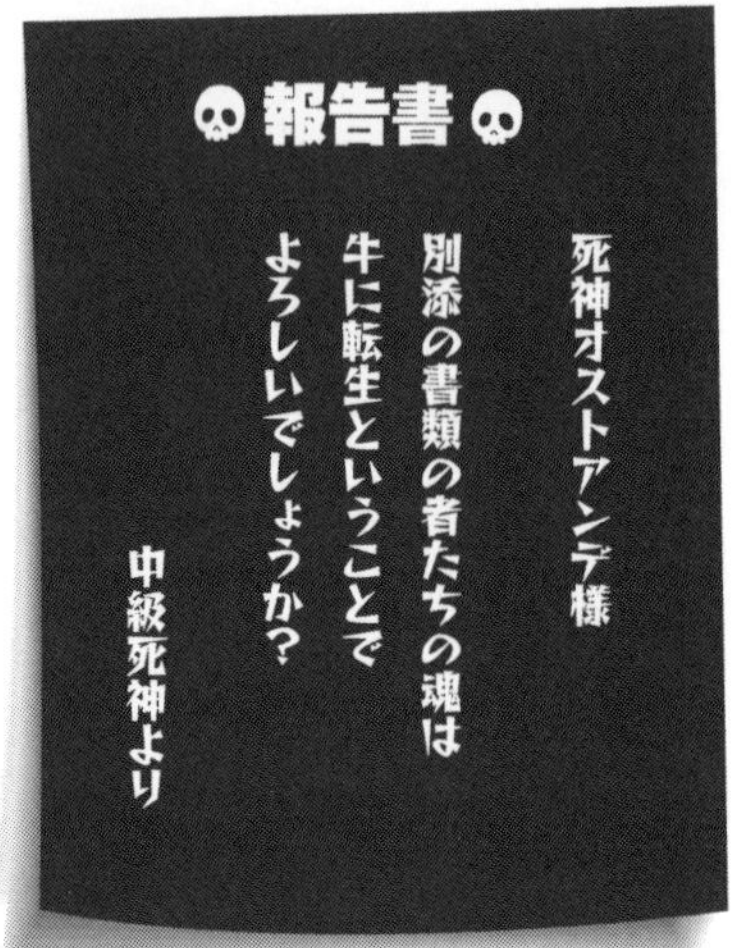
報告書
死神オストアンデ様
別添の書類の者たちの魂は
牛に転生ということで
よろしいでしょうか？
中級死神より

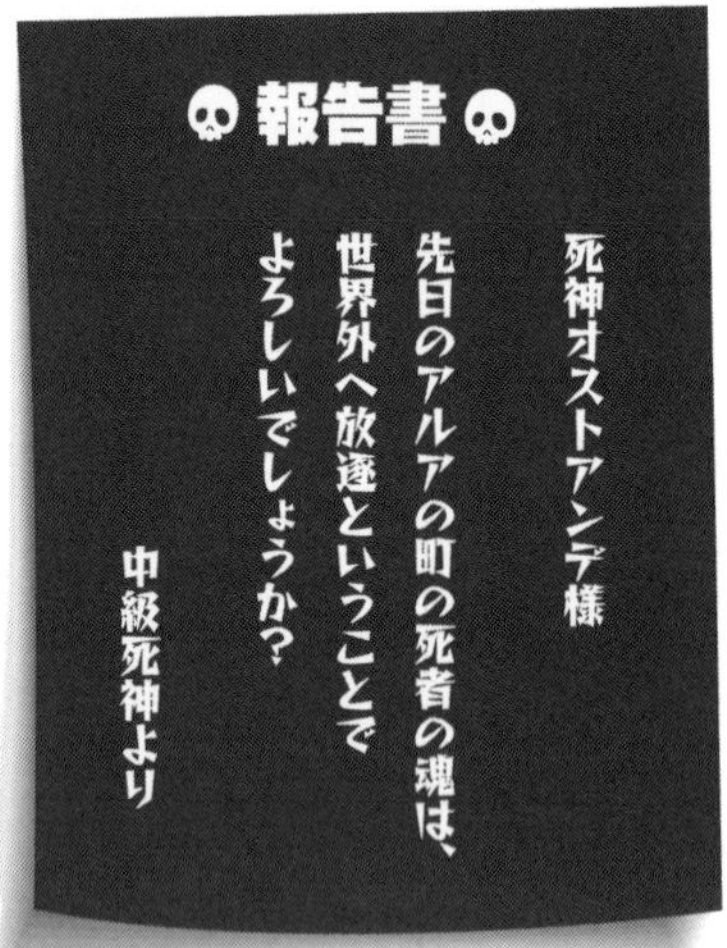
報告書
死神オストアンデ様
先日のアルアの町の死者の魂は、
世界外へ放逐ということで
よろしいでしょうか？
中級死神より

「絶対に見せたらダメなやつ！」

まさかこんなものを目にすることになるとは……。これ、ゆるい空気だから忘れそうになるけど、場合によっては正気を失いかねないものだと思うぞ。

「なるほど〜。この世界だと、死神の権限が強いんですね〜。場合によっては転生先も決めちゃうのか〜」

メガーメガ神様は一応プロだからか感心したようにうなずいている。

「あの、私の前世はどうだったんですか、メガーメガ神様？」

「あそこだと死神が機械的に私のところに運んできていましたね。なので、管轄しているほかのところに転生させてあげることもできました。死神が転生先も決める場合だと、アズサさんも今頃《いまごろ》フンコロガシになってたかもしれません」

「死神が決める制度じゃなくてよかった」

今頃になって私はメガーメガ神様に転生先を決めてもらってよかったと思った。

「フンコロガシの生活もなかなか楽しいですよ。転がしてる時、生きてるなあって実感が湧《わ》くそうです。中の上です」

「でも、転がしてるものがアレだし。私も意見言える環境でよかった」

「――というわけで、こんなふうにオストアンデは決裁をしておるだけで、もう実務には長らく携わっておらぬのだ」

そりゃ、どんな職業でも偉くなると、現場の仕事はやらなくなるよな。

「……空き時間はたっぷりある。だから、執筆にあてられる」

また、オストアンデがうなずいた。

「なるほど、趣味と両立させられるお仕事なのか」

「……でも、欠点もある」

恥《は》ずかしいのか、またオストアンデは毛の中に入りはじめた。

今度はその前にニンタンがオストアンデの手を引っ張って、入らないようにした。

この様子だと、割と手馴《てな》れているな。

「いちいち入るでない！　そこまで言うたのなら、欠点も言え。言いたくないなら最初から欠点があるなどと言うな。思わせぶりはダメである」

ニンタン、こういうところは細かい。

「堂々とせよ。そなたも神のはしくれよ。胸を張っておればいいではないか」

オストアンデも理解したのか、こくこくうなずいた。

「……部下に原稿見せたら、こんな魂の取り扱いはもう現場では行われていない、古いままのやり方だと言われてしまった。……どうせ書くなら、ちゃんと取材をしてから書いたらどうかって……部下に言われた」

小説の死神の描写、本当にリアリティがなかった！

偉くなりすぎて、現場のことがわかってない人になってる！

ニンタンが原稿を一つ持って、ぱらぱらめくった。

「最近の原稿もひどいぞ。自分の仕事を振り返ってる自伝でしかない。ストーリーがまったくないから、もはや小説ではないな」

「………ううう！　選評にも『定年退職した人が、小説の新人賞に送っちゃうやつですね。自伝じゃなくて小説をお願いします』って書いてあった……」

さすがに恥ずかしかったのか、またオストアンデは髪の毛の中に隠れようとする。

「あっ！　だから何かしゃべるたびに隠れようとするでない！　しもうた！　入られた！」

オストアンデはすっぽりと毛の中に入ってしまった。

「はぁ……」とため息をついて、ニンタンが私たちのほうを向いた。

「こんなわけでな、たまには誰かと話をさせんと発展性がないと思うて、ちょくちょく知ってる顔を引き合わせておる。今回はそなたたちじゃった」

メガーメガ神様もこくこくうなずいた。

「なるほど～。突然、お茶会の誘《さそ》いがあったのも、そういうことでしたか～。なんでいちいち私をティーパーティーに呼んだのかと思いましたよ」

「お茶会かティーパーティーか表現を統一せよ」

ニンタンなりにこのオストアンデという神のことが気がかりだったということか。

この神もなかなかいいところあるな。

「うん。私も何か協力できるなら、手伝うよ。何ができるのか謎だけど」

「この毛玉の話し相手になってくれ。それだけで十分じゃ」

ニンタンがちらっと微動だにしない毛玉のほうを見た。

「しばらく出てこんじゃろうし、それまでは酒でも飲んで待つとしよう」

メガーメガ神様が喜んでコップをどこからか出してきた。

まあ、ずっとオストアンデに話しかけると、かえって出てきづらいか。

もっとも、部屋の中に大きな毛玉があるっていうの、なかなかシュールだな……。


約十五分後。

私たちがちびちびお酒を飲んでいると、やっとオストアンデが髪から出てきた。

「どうじゃ。心は落ち着いたか？」

「……失礼した。もう、何を言われても大丈夫」

ゆっくりとオストアンデがうなずいた。

「そうですよ！　痛い自伝みたいなのを送ってもいいんですよ！　小説なんだって言い張れば、それが小説なんですから！」

「…………やっぱり、恥ずかしい」

またオストアンデが毛玉の中に戻ろうとした！

「おい、メガーメガ！　心の傷をえぐるな！　またやり直しになるではないか！」

「ええっ⁉　何を言われても大丈夫って聞いたのに、私の責任なんですか……」

「デリカシーのない奴は何を言ったらセーフなのか考えてから発言せい！　ほら、オストアンデ、戻ってこい！　アズサも引っ張るのを手伝え！」

「私もやるの⁉」

二人がかりで引っ張って、オストアンデを引き戻した。

あまり話も進んでない割に疲れる……。

「……ごめん。もう、大丈夫。吹っ切れた」

あまり信用できないが、ここは信じるしかないな。

「……小説のことなら、何を言われても耐えられる。それに、そんな応募作は過去のもの。むしろ、今の私はさらなる高みを目指《めざ》して活動中」

おっ、これは本物だろうか。

たしかに顔はさっきよりやる気のあるものになっている。

「おお、お前もやっと自分の実体験以外の話も書くようになったのじゃな。あるいは実体験にフィクションを混ぜてみるがよい。謎の毛玉モンスターが活躍する話でも書いてみよ」

そうか、死神の話ばかり書いてたのが問題なら、話のネタをその外側に広げればいいんだ。

でも、オストアンデのやる気は変な方向に発揮されていた。

「……小生は悟った。原稿を応募して受賞するようでは芸術とは言えないのではないか。むしろ、誰にも理解されないようなものこそ、新しい芸術」

なんか、こじらせてるぞ！

「……原稿を応募するのは甘え。小生はそんな既存のルールに縛られた者とは一味違う」

「まずいですよ！　自分に都合の悪い現実を否定《ひてい》しだしましたよ！」

「メガーメガ神様、もう少し言葉を選んでください！」

けれど、心配になる言動をしているのはわかる。

どことなく、逃げているように聞こえるのだ。

「……小生、今は紙に書くことなどより、はるかに意味のあることをやっている」

オストアンデの髪の毛の一部分が急に伸びて、私たちの腕に絡《から》まった。

なんだ、この妖怪《ようかい》みたいな動きは！

まさか、攻撃されてるのか⁉　メガーメガ神様が心の傷をえぐるような発言をしたしな……。その一味とみなされているのかも……。


「……だから作品を見てほしい」


「あっ、そういうことか……」

意欲的になるのはいいことだけど、そのためのアクションがおかしい！

「すまんな、二人とも。この毛玉はコミュニケーションが下手なのでな……」

ニンタンが頭を下げてきた。

神は神の関係の中で苦労したりしてるんだな。

「大丈夫。ニンタンのやる気もわかったしね」


私たちはオストアンデの髪の毛に引っ張られて、外に出ていった。

岩山の岩盤がそびえ立っていた。

もっとも、家が岩山のふもとにあるから、岩山が目に入るのは当たり前なのだけど、オストアンデが眺めているので、そこに何かがあるらしい。

「岩ですね〜。頑丈そうです」

「メガーメガ神様、感想が雑です……。私も、この岩がなんて名前の岩かなんて知らないですけど」

周囲はほかにも岩盤が突き出ているところがあるけど、それとの違いは感じられない。

「……見ていてほしい」

そのオストアンデの言葉と同時に、私たちは髪の毛から解放された。髪の毛に拘束されるというのはそんなに楽しい体験ではないので、解放されてよかった。

オストアンデは、岩盤のほうに移動していった。

なお、足元も毛で覆われているので、歩いているというより、毛の塊が横に動いているように感じる。

「ねえ、ニンタン、今から何がはじまるの？　ちっともイメージがつかないよ」

「朕もわからん。このへんの岩はそんな神聖なものでもなんでもないはずだがのう……」

そんな話をしているうちにオストアンデは岩の真下まで到着した。

「……小生、動きます」

ずもももっ！

奇怪な音をたてて、伸びたオストアンデの髪が岩山を這《は》い上がっていく。

「怖い！　普通に怖い！　触手みたいな動きをしている！」

明らかにとんでもないものを見せつけられている！

そして、今度はオストアンデの本体がゆっくりと搬入用エレベーターみたいに上に上がっていく。

「どうやら、岩の隙間《すきま》に髪をねじ込んでロックしてるようですね～」

呑気《のんき》な声でメガーメガ神様が言った。

「ロックだけに――」

「あの、神様だったら空を飛んだりはできないんですか？」

「アズサさん、今、私のジョークをかき消しましたね」

たしかになんか言いそうな気がしていた。

世の中にはしょうもないギャグを思いついても、すぐには言わない人と、すぐに言う人の二種類がいるが、メガーメガ神様は明らかに後者である。

「ちなみに飛行は多分できるんでしょうけど、あの毛玉の神様が飛ばないのは本人ならではのこだわりだと思います。神が力を行使するとなんだってできてしまいますからね～。でも、蚊の退治すらできずに困ってた神様もいましたし、そうでもないんですかね」

「むっ、カエルになりたい奴がおるらしいな」

ニンタンがメガーメガ神様をにらんだ。

おそらくだけど、メガーメガ神様、カエルになるのが楽しみでわざと言っている気がする。

そのうちにオストアンデは岩盤の上のほうにまで到達していた。

「あそこで何をするつもりなんでしょうね？　自分の思いを叫ぶとか？」

「長生きな神様なんだから、未成年の主張みたいなことはしないでしょ……」

とはいえ、じゃあ何をやるつもりなのかと問われると、さっぱりわからない。

「むっ、あの岩肌、何か文字が書いてあるようだのう。それも、千年ほど前の文法のように見えるぞ」

ニンタンが手をひさしのようにして言った。

たしかに何か文字のようなものがあるような……。

「……小生、ここで死神らしいものを使う」

オストアンデがふところ（具体的に言うと、毛の中）から黒光りするものを取り出した。

それは――鎌！

まさに私の知ってる死神が持ってるアイテムだ。具体的にアレで何をするのか不明だが、魂を狩り集めるようなことをするのだろう。

じゃあ、あれで魂を引っかけたりするのだろうか？

その光景は怖いからあまり見たくないな……。

「メガーメガ神様、まずいことになりそうだったらすぐ目をつぶりますから、大丈夫になったら言ってください……。怖いのは苦手なんです……」

「はいはーい」

頼んでおいてなんだが、返事が軽すぎてあまり信用できない。

しかし、オストアンデの鎌は虚空《こくう》に振り回されたりはしなかった。

ガシッ！　ガシッ！

オストアンデの鎌が岩肌に引っかかって、音をたてた。

ガシッ！　ガシッ！

どういう意図だろう。その岩に魂が化石みたいに埋《う》まっているとは思えないしな……。

メガーメガ神様のほうを見たが、

「わからんちんです」

と、威厳がゼロの返答をされた。

「ねえ、オストアンデ、何をしてるの～？」

直接聞いたほうが早いので、私は岩肌にへばりついてるオストアンデに声をかけた。

「……文章を刻んでいる。……否《いな》、小説を書いている」

小説執筆⁉

「……紙などという便利なものに書いているから、魂がこもらない。……だから、岩肌に彫りつけることにした」

それ、無茶苦茶《むちゃくちゃ》時間がかかるぞ！

「……人が紙に文字を記録するようになったのは、ついこの前。大昔には粘土板や岩肌に彫るしかなかった。……ならば伝統的なスタイルでやる！」

「でも、そんなのいつまで経《た》っても終わらないですよ～」

メガーメガ神様は無責任だからこそ、気楽に指摘をした。

実際そのとおりだとは思う。一文字ずつ丹精《たんせい》込めて書いていくとしたら、気の長くなるような年月が必要じゃないだろうか。

けれど、オストアンデは私たちのほうを向くと、そこでいい顔で笑った。

自分も時にはそんな顔で笑えるんだぞと教えるみたいに。

「……五千年でも、五万年でも続ける。いつかは完結する」

私はよくわからない感動を覚《おぼ》えた。

とてつもなく、時間がかかることでも、本人が最後までやり通す意思があるなら、それは必ず終わりが来るのだ。達成できるのだ。

「……小生はこの岩盤に世界最高峰の物語を刻む」

そう言って、またオストアンデは岩肌のほうに鎌を打ちつけだした。


「そなたら、帰るとするか」

ニンタンが今日一番の穏やかな表情で言った。

「また三十年後にでも見に来ればよい。その時に投げ出しておったら三十年坊主だと笑ってやろうではないか」

「三十年も岩肌に彫り続けてたら、威張っていいと思うけど、神だとそれでも短いのかな……」

「まっ、長い短いよりも、彫っている話が面白いかどうかのほうが大切であるがの。しかし、それより、あの毛玉が楽しんでやれるかどうかがもっと大切よ」

きっと、ニンタンも知り合いの神が自分の道を切り開こうとしているのを見て、胸が熱くなったのだろう。とても優しそうな目をしていた。

「そうだね。生きがいを見つけられたんだったら、何も問題なんてないよ」

ニンタンが心配していた知り合いの死神は、大きな目的のほうに進みだした。

これからもオストアンデという死神は、誰かと出会ったり、話をしたりすることは少ないかもしれないが、そんなことは目的を持って生きているなら些細《ささい》なことだ。

ただ、オストアンデを見て、ふと思い出すことがあった。

「あの、私の知り合いに絵の世界に生きてる精霊がいるんだけど、神や精霊って芸術に興味を持つものなの？」

クラゲの精霊キュアリーナのことを言ってます。

「長く生きておると、長く続く可能性が高い趣味を選びがちではある。流行しているものにはまっても、気づいたら自分しかやってなかったということがある」

「ああ……誰もそのゲームをプレイしてないってなったら悲しいもんね……」

後ろから響くカツーン、カツーンという音がふっと聞こえなくなった。

いつのまにか、私たちはまたあのお茶会の席に戻っていた。

「今日は二人に世話をかけたのう。知らんうちに打開しておったわ。あれなら最初から言っておかんか。何も心配せんでよいではないか。カエルにするぞ」

ニンタンは残っていたお茶を口に運んだ。冷めていてもおいしいお茶だ。

「別に私たちは死神と会って話をしただけだし、迷惑じゃなかったよ」

「ですね〜。いつもは淡泊《たんぱく》そうなニンタンさんが意外と同僚想《おも》いなところがあるのが見られてよかったです～♪」

「カエルになれ」

悪ノリしたメガーメガ神様がまたカエルにされた。

◇

後日、私が家で昼食後のお茶をしていると、ベルゼブブが入ってきた。

「あのさ、いつも突然やってきすぎなんだよ。事前予告できないものなの？」

「ちょっと、おぬしに聞きたいことがあってのう」

これは何かしらトラブルがあった顔だな……。

「以前に、サーサ・サーサ王国にたどりついた探検家のような男が手記を出したじゃろ？」

「ああ、フラットルテが植物を凍らせた時に偶然、来ちゃってた人だね」

ちなみにロザリーの二百回忌《かいき》の時にも来ていた。

「その男がまた似たような本を出しての。場所はサーサ・サーサ王国とはまったく違って、世界の果てみたいなところなんじゃが、アズサが一枚噛《か》んでおるかもと思って確認に来たのじゃ」

なんか、嫌な予感がした。

「少なくとも、私は直接はタッチしてないから無関係だよ……？」

「その様子だと、何か最近あったじゃろ」

ベルゼブブが疑わしげな顔をする。そこは疑わしきは罰せずの精神でいてほしい。

「だって、私がやれと言ったわけでもないし、すでにやってたことだし……。いや、そもそも全然違う話題かもしれないから、具体的に話を聞かせて。こういうの、結局、思い過ごしだったたってことも多いし」

「うむ。本のタイトルは『虚無荒野の秘密』というものじゃ」

「あっ……。絶対知ってるやつです……」

また、ベルゼブブが疑わしげな顔をした。だから、本当に私の責任じゃないんだよ！

でも、まずは本を読んでみるか。

——虚無荒野、それはこの国の中でも、完全に忘れ去られた土地の一つと言っていいだろう。かつては隠者たちが自分たちの理想の修行の場として、争ってその土地を訪れたこともあったというが、今では人が暮らしていた跡が残るのみで、かえってわびしさを感じさせる。

無論、路線馬車も大昔に廃止されており、その土地にたどりつくためには、「荒野入り口の村」という集落から二日間かけて歩いていくほかない。とても入り口とは言えない距離だが、それほどまでに虚無荒野は広く殺伐としているのだ。

「まだ冒頭だから何も起こらないな。ていうか、この人、なんでこんな土地ばかり来るの？　暇なの？」

「世の中にはいろんな趣味の奴がおるのじゃろう。とっとと、その先を読め」

――私が虚無荒野を訪れようとしたきっかけは、この土地が死神伝説の舞台だったからだ。かつて、この土地に死神がいて、この世界のすべての魂の管理をしていた――そんな伝説がこの地方では古くから語られてきた。私はその伝説をこの目で確認しようと考えたのだ。

かつても何も、今だって現役《げんえき》で住んでるんだよなあ……。

――二日間歩いて、どうにか虚無荒野の廃村にたどりついた。名前にふさわしく、あまりにも何もない。

鳥肌《とりはだ》が立つような恐ろしい場所にも何度も足を延ばしたことがあるが、ただ、ただ、何もないことだけを感じ取って、立ち尽くしてしまうという経験はこの虚無荒野でしかなかった。

オストアンデに会ったのかな？

あの神様、誰も来ないと思ってて、人に見えないようにもしてないはずなんだよね。

――そして、私は虚無荒野唯一の「何か」である、岩山に目をやった。

そこにあまりにも醜悪で悲惨な文言が書いてあることを私は知ってしまったのだ！

「あっ、壁に彫ってる小説を読んだのか！」

「いったい、誰がこんなところに文字など書いたのじゃ。魔族がやったと思われると面倒なことになるのでやめてほしいのじゃ」

気持ちはわかるけど、神がやってることだから止めようがないんだよ……。


——言葉は約千年前に使われていた古代語のようであった。それが岩肌に鋭利な刃物のようなもので刻まれている。

以下、今の言葉になおすとこのような意味になる。

『私はすべての死を管理する者である。だが、死を言葉にすると、ことごとく空虚なものになってしまい、どのような者の魂を共鳴させることもできない。そこで私は魂を取り扱ったこまごまとした事をここに刻んでおくこととする』


こうやって読むと、何も知らない人が見たら、びっくりするというのはわかる。

『まず、魂に事情を聴く。さらに魂に要望を聴く。そのうえで、決定された所定のところへ魂を送る。この時、間違いがないか必ず複数の者で二重チェックを行う。一度牛になったものを豚《ぶた》に変更したりするのは極《きわ》めて面倒なので、確認作業を怠ってはいけない』

「やけに事務的にやってるな！」

とくに怖くないぞ。まさに仕事でしょうがなくやっている感じが出ている。

『疲れたと思う時もあるが、魂からありがとうの一言を聞くと、また明日もやろうという気持ちになれる。魂からの感謝の言葉は、心のエネルギーになる。その一言が聞きたくて、自分はこの仕事をしていたのではないだろうか』

「なんかクサいこと語ってる！」

こういうことを応募原稿に書くから新人賞で落ちたんじゃないか……？

しかし、これのどこが「醜悪で悲惨な文言」なんだろう。冒険家もとりあえず名状しがたき恐怖だとか、それっぽいこと言ってたらそれでいいと思って書いてないか？

——後半は何を言ってるかよくわからないが、死を管理する者によって書かれたという、この言葉はいったい何なのだろうか。私は途方に暮れ、その場で動けなくなってしまった。そうしていると、時間の感覚すら失われていきそうだ。

どうにかペンをとり、その文字を書き写そうとした。

その時、背後から奇妙な気配を感じた。

全身が毛のようなもので覆われた、獣とも人ともつかない何者かがそこにあった。
背の高さは幼児ほどなのだが、それぞれの毛が独立した生き物のように蠢《うごめ》いている！

完全にオストアンデだ！

――その何者かは毛の一本を伸ばし、私の体を拘束した。
きっと捕食されるのだろうと私は観念した。このような直接的な恐怖を感じたのはそれが初めてのことだった。
だが、その名状しがたき何者かはこのような言葉を発した。

「……汝《なんじ》、書物の編集を行う者や否や？」

編集者かどうか質問してるし！

――私は「違う、探検を記録して書物にして世に問うているものだ」と答えた。
「……ならば、担当の編集を行う者を小生に紹介せよ」

「いや、自費出版だから担当の編集者などいない！」

「…………ならば、汝に興味なし」

そこから私の記憶は飛んでいた。気づくと、入り口の村の前で倒れていたのだった。

あの毛で覆われた存在は何だったのだろうか？　そして、虚無荒野の死を管理する者を名乗る言葉との関《かか》わりは何なのだろうか？

編集者とのコネクションを得ようとしている！

ていうか、新人賞に無茶苦茶未練《みれん》あるじゃないか。けど、そんな簡単に吹っ切れないほうが人間らしいのか。人間じゃなくて神様だけど。

私はぱたんと本を閉じた。

「こやつは何なんじゃ？　魔族にもこんなのはおらんぞ」

ベルゼブブが追及してくる。

う～む……神のことって軽々しく言っていいのかな？

まっ、オフレコだとも言われてないし、いいか。

「この毛みたいな存在は死神なんだよ」

ベルゼブブがあきれた顔になった。

「なんで死神が毛の化け物なのじゃ。死神と言えば、鎌を持って、夜な夜な魂を集めるために飛び回っておる奴じゃろう」

「魔族もそういうベタなイメージなのか！」

死神のことはあまり信じてもらえなかったけれど、ベルゼブブにそれ以上、聞かれなくなったので、それはそれでよかった。

神様の修行プログラムをやった

She continued destroy slime for 300 years

ある日の夜。
今日もほどほどにスライムを倒して布団《ふとん》に入ったら、こんな言葉が聞こえてきた。

――おひさしぶりです、アズサさん。


これは間違いなくメガーメガ神様だ。厳密には音声じゃないから、「声」ではないのだけれど。テレパシーのようなものが頭に聞こえてきた状態だ。

しかし、メガーメガ神様が話しかけてくるってことは、だいたいろくでもないことが多いんだよな……。

「もしかして、またこっちの世界の神様とケンカでもしました？　仲裁ならやりませんからね。ニンタンとコネクションもあるはずですし、そっちに頼ってください」

まだ寝ていないので、口を動かして音声で伝える。心の声でも伝えられるのかもだけど、こちらのほうが私からはわかりやすい。

違います、違います。今回はまっとうな内容です！　……いや、そこまでまっとうでもないですかね？　どう思います？

「こっちに聞かれても……。しかも、内容を知らないから答えようがないし。神様なんだから、もう少しぐらい自分の言葉というものに価値を持たせてください」

おかげさまで、この世界でも私の徳を積む教えはかなり広まってきました。『徳スタンプカード』のスタンプを三個以上押している方は推定で一万五千人と見込まれています。

「それなりの数になってきましたね。お疲れ様です」

それで、ここからが本題なんですが、熱心な信者の方のために修行のプログラムも作っていきたいなと思いまして。やっぱり精神を鍛錬《たんれん》するようなプログラムがないと飽きられちゃうおそれもあるじゃないですか。

おっ、珍しくちゃんと神様らしい話だ。ただ、できれば朝とかにしてほしかったな……。なぜ今から眠るって時に語りかけてくるんだ……。

なので、この世界の著名なゲームデザイナーであるポンデリさんとの協力のもと、修行プログラム用のゲームを制作しました！

あれ……。話が急に変な方向に動いたような……。

ポンデリさんに語りかけたら、それはそれはびっくりされてましたが、事情を話したら五分でご理解いただけました。

呑《の》み込《こ》みが早い。まあ、この世界、精霊がごく普通に実在する世界だから、神が語りかけてきても、簡単に信じられるのかもしれない。

ということはゲーム制作で行き詰まってるってことかな？

そして、無事にゲームはできました！　とことん修行できますよ！

「それは素晴《すば》らしいです。じゃあ、何も問題ないような……」

いえ、できたはいいものの、テストプレイをしないといけないんですよね。それで、アズサさんにその役を頼もうかと。アズサさんなら前世でのゲーム経験もありそうですし。

うっ！　やっぱり巻き込まれる流れになってきた。

しかし、それ以上に引っかかるところがあった。

「さっきからゲーム、ゲームと言ってますけど……あくまでも修行プログラムなんですよね……？」

はい、表向きは修行です。

「神様が表向きとか言っちゃいけない」

修行にゲーム要素を取り入れて、誰《だれ》でも楽しくやれるようにしただけです。修行の万人受けを狙《ねら》ったんです。そういうことです。

楽しくないよりは、楽しいほうがいいとは思うけど、修行ってそういうものなの？

というわけで、アズサさん、お願いします～。

◇

気づいたら、謎《なぞ》の異世界に飛ばされていた。

なんで、「謎の異世界」と断言できるかというと、地面も木も空に浮かんでる雲も、すべてがカクカクしているのだ。小さな四角形を並べて造ったみたいというか……。

「昔のゲームみたいな空間だな。まだ、やりますって答えてないのに……」

「これが修行プログラムで使う精神世界です！　全面クリア目指《めざ》してレッツプレイ！」

いつのまにか、目の前にメガーメガ神様が現れていた。

神なので、出てきたり、出てこなかったりと自由自在だ。

「あの、寝たいんですけど……。人が寝るような時間には働くべきじゃないと思うんです。夜になったら、人は寝るべきなんです」

よほどのことがないかぎり、七時間睡眠は確保したい。

「そこは大丈夫です。アズサさんの肉体自体は眠ったまま、精神世界で修行ができます。今のアズサさんも実体はなくて、精神体です。簡単に言うと、夢の世界です。睡眠学習ならぬ睡眠修行ですね」

「だったら、いいか……。眠って体力が回復してるなら、実害はないし」

「そうです、そうです！　操作は単純なので、やりながら覚《おぼ》えてください」

またゲームっぽい概念が出たぞ。

「今のアズサさんはあくまでも精神体ですからね。なので、実体と違って、精神体のコントロールに慣れる必要があります。あっ、ちょうどスライムがやってきましたので、あれで試してみましょう」

たしかに向こうからスライムがぴょんぴょん跳ねて、こっちにやってくる。

そのスライムもドットが粗《あら》いというか、昔のゲームみたいだった。

「スライムだったら、デコピンでも倒せるな」

「あっ、現実だとたしかにそうなんですけど、修行プログラム中は、そのルールに縛られます。なので、ルールにないパンチやキックはできません。たとえスライムといえども、ぶつかるとダメージになっちゃうので気をつけてくださいね」

アクションゲームをやれってことか……。

「では、どうやってスライムを倒すのかというと――アズサさん、攻撃しようとしてください」

「まだ、スライムは離れたところにいますけど、とにかくやってみます」

私は離れたところにいるスライムめがけて、攻撃しようとしてみた。

ビュンッ！

私の体から杖《つえ》が出た。

その杖が五十センチほど前に飛んでいき、そして――消えた。

「なんだ、今の現象は……？　消える杖？」

「攻撃しようとすると、魔女の基本武器である杖を飛ばせます。これをスライムに当てればダメージを与えられます」

「いや、杖って投げて戦う武器じゃないですよ！　あとで拾うのも面倒ですし」

「そこは大丈夫です。無限に投げられます」

たしかに、もう一度、杖を投げようとしたら、本当に杖が私から射出されて、消えた。

「謎の原理！　杖をどこにストックしてるのかもよくわからん！」

「細かいところは気にしないでいきましょ～。所詮《しょせん》ゲームですから～」

神様の修行が「所詮ゲーム」扱いなのはまずいぞ。

「それじゃ、実際に1面をやってみましょう。アズサさん、進んでください！」

さっきのスライムがじわじわこっちに近づいてきている。

「喰《く》らえっ！」

スライムに対して、ビュンッ！　と杖をぶつけた。

スライムが消えて、コインみたいなものが宙に浮いた。

これは集めるといいことがあるんだろうと判断して、コインに触れた。

チャリーン！

多分、この音が獲得したという合図だと思う。

「おおっ！　やはりアズサさんは経験があるんですか？　すっかり原理を理解なさってますね！」

「それはいいんですけど、これ、完全にレトロなアクションゲームですよね？」

「ちなみにステージの制限時間は五分ですので注意してくださいね。ゆっくりしすぎていると、タイムアップになります」

そんなところまでゲームっぽさを意識しなくても……。


最初のスライムを倒した私は先に進んだ。

テクテク、テクテクと変な音がする。

移動するだけで音がするんだな……。

同じようにスライムが、それに空からはコウモリがやってくる。コウモリもやっぱりカクカクだ。

スライムには無限に射出できる杖をぶつけてコインにできた。

しかし、コウモリは飛んでいるので動きがトリッキーだ。杖を当てづらい！

「ああっ！　接触しちゃう！」

コウモリにぶつかった私の体が点滅《てんめつ》しだす。これもゲームっぽい。

だいたい、この先の展開は予想できた。

「どうせ点滅が終わったあと、チビアズサになってたりするんでしょ？」

キノコをとると巨大化して、花をとると火の玉を出せるゲームは私もやったことがある。

点滅が終わったら——下着姿になっていた。

「ちょっと！　なんで脱げてるの⁉」

また、メガーメガ神様が出てきた。

「ダメージを受けると装備を失います。装備を失った状態でまた敵にぶつかると、残機《ざんき》が減るので注意してくださいね。装備アイテムをとると服が復活しますよ～」

「いくら敵がスライムやコウモリでも恥《は》ずかしいわ！」

動きが鬱陶《うっとう》しいコウモリにはジャンプしながら杖をぶつけて、やっつけた。ちなみに一回では倒せなかったので、二回ぶつけた。敵にも体力が設定されているらしい。

スライムを倒した時みたいに、またコインが出てくるのかなと思ったら——剣が出てきた。

どうせ、これもアイテムなのだろうと判断して、触れてみる。

「やっぱりアズサさんはゲーム慣れしてますね！　それは強化武器の剣です！　杖よりもリーチが長いですし、威力も高いですよ！」

攻撃してみようとすると、ちゃんと剣が遠くまで飛ぶ。

杖の時にはぶつからなかった距離にいたコウモリに剣がぶつかる。一撃で倒せたらしく、コイン

になった。杖の時は二回攻撃が必要だったので、たしかに威力は上がっているらしい。

それはわかるんだけど――

「いや、剣も投げて攻撃する武器じゃないから！　こんな戦い方してたら、すぐに剣がなくなるから！」

「そこはゲームだから、我慢してくださいよ～」

「何を言っても『ゲームだから』でゴリ押ししてきますね……」

そんなことを言ってたら、背後の地面が急に盛り上がった。

その地面からゾンビが飛び出てきた！

「これ、後ろからも敵が出現するタイプのゲームか！」

現実なら難なく回避できたと思うのだけど、精神世界（という設定のゲーム）の中なので、私の動きもゆるやかになっている。回避ができるかギリギリのところだ。

よし、どうにか接触直前にジャンプして回避成功し――――

チャチャッチャ、チャッチャ、チャッチャチャッチャ～！

変な音が聞こえて、視界が真っ暗になった。


気づいたら、最初にスライム一体がぴょんぴょんやってくる場所に戻っていた。

服も下着から元の魔女服に戻ってくれている。

「あれ……？　何があったの……？　よくわからないんだけど……」

「あら～、やられちゃいましたね～。残念ですが、残機が一つ減りました。初期設定は３機ですが、このゲームは０機もあるので、実質４機ですね」

「待って、待って、待って！　今、私はかわしましたよ！　ゾンビには触れてませんよ！」

ゾンビ的な、ねちゃっとした感触なんてなかった。


「当たり判定の都合です。そのあたりも覚えていってくださいね」


「仕様だったか……。テストプレイが終わったら、ちゃんと修正してくださいね……」

「世界の摂理を見定めるのも、また修行です！　設定を学びましょう！」

いいように言いすぎではあるけど、私も腹を決めた。

こうなったら、クソゲーだろうとなんだろうとクリアしてやろうじゃないか！


私はゲームの先へ先へと進んでいった。

敵の出現場所なども覚えて、それにちゃんと対応できるようにしていった。

何度もやられた時の「チャチャッチャ、チャッチャ、チャッチャッチャ～！」という音と、ゲームオーバーの時の「修行が足りてない！　再び挑戦せよ！」というメッセージ（それもカクカクした文字で表示された）を見ることになったが、それでも次第に１面の奥に向かえるようになっていた。

なお、メガーメガ神様は出てきたい時にいきなり出てくる。一種のお助けキャラみたいなものかな……。

そして――

突如、ＢＧＭが緊迫感のあるものに変わった。

ていうか、意識してなかったけど、この世界、ずっと謎の音楽が流れてたな……。現実の世界だと絶対にありえない現象だけど、ゲームだとごく自然に音楽が存在する。

このＢＧＭは、きっとボスだ。

奥のほうから出てきたのは、妙にカクカクした体のブッスラーさんだった。

「ブッスラーさんも敵キャラみたいな扱いなんですね……」

「よく来ましたね。１面のボスのブススラーです。ご本人の許可を得ていないので、名前を変えています」

どうでもいいところで、慎重《しんちょう》になってる！

脳内で行われる修行なんだったら、別に裁判で訴えられたりしないと思う。

だが、これが修行という設定だとしたら、武道家のブッスラーさんもどきがボスとして現れてもおかしくはないな。

いったい、どんな攻撃をしてくるんだ……？

「ところで、あなた、コインはお持ちですか？」

ブッスラーさんもどきがボスらしからぬことを聞いてきた。

「うん、1面だけで五十枚は稼《かせ》いだと思うけど」

「それは修行の証《あか》しです！　コイン二十枚でこの先へと通しましょう！」

「お金で解決できるシステム⁉」

だが、ボス戦を回避できるなら、それに越したことはないな。

『コインをあげますか？　はい　いいえ』という選択肢が出たので、『はい』を選択すると、ブッスラーさんはどこかに消えていった。

「アズサさん、おめでとうございます！　着実に修行の成果が出ていますね！」

ボス戦が終わったからか、メガーメガ神様が現れた。ちょうど気にかかることがあったんだよね……。

「メガーメガ神様、2面でゲームオーバーになったら、また1面からですか？」

「いいえ、2面からはじめられますよ」

よかった、そこは親切設計だ。

◇

2面は海のステージだった。海もやっぱりカクカクだ。

あと、潮《しお》や波がなくて、水が止まっている。

意識してみたら、流れている音楽が変わっている。ステージごとにちゃんと音楽を分けているらしい。

海につかってもすぐにやられたりはしないが、ジャンプしようとしないと、だんだんと沈んでいく。足が沈みきってしまうと、やられたことになる。

現実では足が沈んだからといって鼻や口が出ていれば呼吸は絶対にできるし、足がけっこう沈んだ途端に死ぬなんてありえないのだが、アクションゲームの仕様だと考えると、理解はできる。

素早く動けないところに魚の敵がやってくると、なかなか厄介《やっかい》だ。

できるだけ海に入らずに足場をジャンプして移動していくのがいい。

その2面も敵の出現場所や回避のタイミングなどを暗記してじわじわ進んでいった。

「すごいです、アズサさん。何回やられてもめげずに着実に攻略していきますね……」

メガーメガ神様が素直に感心してくれていた。

「だって、これは覚えていくしかないゲームですから、そう割り切ってます。たとえば、すぐに向こうの足場にジャンプしたら、いきなり敵が出てきて必ずぶつかるので、少し待ってやりすごさないといけないとか、そういうのは一回目のプレイだとわかりようがないですよね」

この手のアクションゲームは上手とか下手とかじゃなくて、この箇所ではこう動けばいいというのを覚えるかどうかだ。

なので、何度やられても恥ずかしいと思う必要もない。失敗を次に活《い》かせばいい！

そして、またＢＧＭが緊迫感のあるものに変わった。

「２面のボス登場だな。次はいったい誰だ？」

また、カクカクしたブッスラーさんもどきが出てきた。

「まさかの同じキャラ！　そこは海に関したキャラを出そうよ！」

かと思ったら、もう一体ブッスラーさんもどきが出てきた。

「二体いるんだ！　この世界のルール、どうなってるの⁉」

また説明役のメガーメガ神様が出てきた。


「精神世界の容量の関係で、１面のボスを使いまわしています」


「精神世界、けっこうカッツカツ！」

ブッスラーさんもどきは、それぞれコイン二十枚で先に通すと言ってきた。つまり、合計四十枚出せということか……。

それぐらいは貯《た》まっていたので、またコインを払ってボス戦を回避した。

世の中、お金で解決できる争いもあるってことかな……。

◇

私は3面の洞窟《どうくつ》のステージも着実に攻略していった。

アクションゲームとしては高難易度な気がするが、やるしかない。なにせ、ゲームを放棄して寝るということもできないのだ。現実の私は寝ているらしいし。

そして、あの緊迫感のあるボス戦の時の音楽が流れだした。

今度はブッスラーさんもどきが三体出てくるなんてことはないだろうな……。

3面のボスはカクカクした洞窟の魔女エノだった。

「修行者の方、その実力、しかと拝見いたしました。洞窟の魔女エノノノです」

「名前をいじられているってことは無許可だな」

「私の薬をコイン五十枚で買ってくれるなら特別に通してあげましょう」

「こんなんだったらボスいらないでしょ！」

ボスにお金を払って見逃してもらうアクションゲームって斬新《ざんしん》ではある……。

◇

4面は画面が強制的にスクロールしていく仕様だった。

じわじわと地面が消えていく。世界がせり上がっていくというか……。

これ、口で表現するのは難しいのだが、ゲームだと考えると、一応理解できる。

頭上に足場らしきものがあるので、あれにジャンプして上がっていけばいいようだ。

「足場がすでになくなったところに落下したら、残機が減りますから注意してくださいね～」

ぷかぷか浮かびながらメガーメガ神様が言った。

私も飛行したいけど、そんな魔法はこのゲーム中では使えない。

床の上にずっと立っていたら床がなくなっていきなり死ぬというのは、概念としては明らかにおかしいのだけど、ゲームではそういうものなのだ。

アクションゲームって不自然なところが多いよね。足に敵がぶつかったらダメージになるというのも変だ。たとえば、コウモリを足で踏んだら、確実にコウモリのほうが死んで、人間はほぼ無傷だと思う。実際、踏んだら敵を倒せるアクションゲームもあるし。

「いいかげん、このゲームにも慣れてきたし、どんどん行くぞー！」

私は床を歩く敵を華麗《かれい》にかわしたり、剣を投げつけて倒したりしつつ、上に見える床を上っていく。うん、この4面はけっこう簡単かも！

だが、どんどん進んでいくと――

いきなり頭が何かにつっかえて、押し戻された。

「あっ、アズサさん、焦《あせ》りすぎです。スクロールが行われる前は、精神世界の上に何も存在してないから進めません。床ができてからジャンプしてください」

「やっぱり、概念が納得しがたい」

だいたい、この世界、上下の幅が狭すぎる！　あと、どういう力で強制スクロールが行われているのか、本当にわからない！

「信仰に疑いを抱かず、信じ抜く、これもまた修行に必要なことなんですよ～」

「メガーメガ神様、悪いですけどすべて詭弁《きべん》に聞こえてきます……」


それでも4面も最上層らしき床に到着した。

またボス戦（まだ戦闘したことないけど）の音楽が聞こえてきた。

予想していたとおり、エノもどきが二体出てきた。

「数を増やして難易度を上げるのってズルいですよ！」

これにはメガーメガ神様も多少反省していたようで、「精神世界の容量の問題が解決できたら変更したいと思います」と言っていた。

◇

今度は5面。こういうアクションゲームは多くても10面もない気がするので、かなり佳境《かきょう》に来ているると思う。

５面は床が氷でできていた。その時点で予想がついたけど、つるつるすべる。

これは上手に操作しないと、ザコキャラのスライムにすら接触しちゃうぞ……。

だが、もっとタチの悪い問題が起きた。

氷の海を大きくジャンプして、向こう岸の床にジャンプしたところ——着地する場所にペンギンがいた！　こういう配置、ひどいな！

きっちりペンギンにぶつかって、ダメージを受けてしまった。

そして、ローブ姿から下着姿になる。

ぞくぞくっと鳥肌《とりはだ》が立った。

「寒いっ！　精神世界なのに寒さは感じるんだ！」

私は両腕で体を押さえた。これは地味にきつい！

「アズサさん、寒くてダメージになるということはないから心配しなくてもいいですよ～」

「メガーメガ神様、そういう問題じゃないです！」

早く装備アイテムを入手してローブを着ないとまずい。アイテムを落とすことがある敵キャラは確実に全部倒していこう。

だが、こんな時に限って武器しかドロップしない……。

「そろそろ装備アイテム出て！」

祈るような気持ちでペンギンに剣を投げる（動物虐待じゃなくて、あくまでも敵を倒してるだけです）。

倒されたペンギンがドロップしたのは、小さいカクカクした私だった。

残機を増やすやつだな。うれしくはあるけど、今は服がほしい……。

「しかし、小さい自分をペンギンが落としてくるというのも、謎の現象だな……」

私がツッコミを入れたからか、またメガーメガ神（なぜかマフラーみたいなのとコートを着ている）が出現した。

「それは自分と向き合うということを視覚的に表現したものですね。修行の一環です」

「いちいち補足しなくてもいいですよ。かえってうさんくさくなります。それより寒いのはどうにかできなかったんですか……？」

「やけに寒いのも修行なんですよ。ほら、修行の人がコート着てぬくぬくしてたら修行っぽさがないじゃないですか。薄着のほうが正しいんです」

まあ、どこかで1騎失えば、下着からまたローブ姿に戻ってスタートできるのだが、こんな時に限ってサクサク攻略できてしまう。ゲームにもかなり慣れてきたな。

「ここは大きな穴が空いてるから、勢いつけて一気に向かいの足場までジャンプするしかないな。で、どうせあっちの足場に着いた直後に敵が出てくるから、すぐに追加の小ジャンプも頭に入れておくか」

「アズサさん、すっかり私の魂胆が読めてますね」

「敵の配置を暗記して攻略するゲームなんで、繰り返せばどうとでもなるんです！」

この調子だと下着のままボスまで行けるかもな。下着で人前に出るのは恥ずかしいけど、ボスはまた「もどき」だろうし、別にいいか。

なのに、ボス戦の音楽と共に出てきたのは――

カクカクしてない、普通の姿のベルゼブブだった。


「おぬし、なんで下着姿なのじゃ……？　薄着健康法か……？」

「なんで本物が出てくるの⁉」


「寝ようとしたら、メガーメガ神という奴《やつ》に声をかけられたのじゃ」

ベルゼブブも被害者か。

「本来なら、わらわの『もどき』がボスとして出るらしいんじゃがの」

ベルゼブブが指差したところにカクカクしたベルゼブブがいた。

だが、本物のベルゼブブが敵だとすると、苦戦しそうだな。

私のことをライバル視していて、武術大会でもやりあったベルゼブブとここで再戦することになるだなんて。

まさに修行という気もしなくもない。

「ねえ、ベルゼブブ、一応聞くけど、コイン払ったら通してくれたりしない？」

「舐《な》めとるのか。そんなボスがおってたまるか。ちゃんと対戦せんか」

コインで解決するほうが現時点では多数派なんだよね……。

まあ、やむをえまいか。

戦闘方法が剣を投げまくるという変なものだけど、全力で行くぞ！

私もこのゲームをさんざんやってきて、自分の操作方法（変な表現だけど、これで正しい）にも慣れてきたのだ。

もしベルゼブブが自分の操作に未習熟なら、私が圧勝できる！

だが、ベルゼブブはなぜかカードを野外に置いてあるテーブルに並べだした。

「何？　あなたって今日の行動をタロットカードで決めたりするタイプ……？」

「いや、わらわとは神経衰弱《しんけいすいじゃく》で勝負してもらうのじゃ」

「アクションゲームじゃないのかよ！」

横スクロールアクションのボスが神経衰弱っておかしいよ！

「しょうがないじゃろ。そういう決まりなのじゃ。こっちから行くぞ」

トラの絵だった。

ちなみに、怖い感じじゃなくて、かわいいポップなイラストだった。

「トラじゃな。こっちは……ウサギか。ハズレじゃから、おぬしの番じゃ」

「本当にまっとうな神経衰弱なんだ……」

「あと、これはメガーメガの話じゃと、まさに精神の修行に相当するらしいのじゃ」

「じゃあ、家で神経衰弱してるファルファとシャルシャは精神の修行してるの？」

そのまま神経衰弱をやって、とくにドラマなどもなく、私が勝ちました。

◇

6面はこれまでと雰囲気が一変した。

明らかに背景が城の中なのだ。BGMも今までと比べて緊迫感がある。

これはラスボスが近づいてる証拠だな。

敵キャラの攻撃も容赦なくて、あと、城の中に謎のトゲのトラップなども置いてあったりして、何度もコンティニューすることになった。修行の一環のせいか、アクションゲームとしての難易度が高い……。

私が日本で生まれる頃に出たようなゲームは、まだプレイヤーに楽しんでもらうという意識が低くて、クリアできるものならクリアしてみろというような気概《きがい》を感じるものまであったそうだ。それに近い気がする。

それでもついにボスがいそうな扉の前にまでやってきた。

中に入るとブッスラーさんもどきがいた。

「これは今までのボスが次々に登場する、アクションゲームにありがちなやつ⁉」

でも、同じボスということは攻略法も同じで、コインを支払ったら戦闘を回避できた。このゲーム、集めたコインはボス戦回避のためにしか使えないんだな……。
ブッスラーさんもどきはコインを見つめながら、こう言った。

「やっぱりお金の輝きはいいですね。ですが、心はお金では買えません。あなたも修行でそれを学ぶといいでしょう」

「お金もらっておいて、いいこと言うな！」

「では、次の中ボスの部屋にお進みください」

ブッスラーさんもどきの部屋の奥に新しい扉ができた。

どうせエノもどきだろうと思ったら本当にそうだったので、またコインを支払って戦闘を回避した。

このあたりも改善の余地がある……。

次の部屋には予想していたとおり、ベルゼブブがいた。

「おお、来たな。6面はなかなか難しいじゃろう」

「また神経衰弱をやるの？　全力で立ち向かうよ」

「今度はしりとりで勝負じゃ」

「二人でいて、暇《ひま》すぎる時にやるやつ！」

だいたい、しりとりなんて延々と続くだろうと思ったが、壁に絵のパネルが並べられた。選択肢はこの中にしかないらしい。

これならゲームとして成立するなと思ったが、絵が抽象的でなかなか難しい。

「ドットが粗いから、一見、何なのかわからない絵が多い！　この煙突みたいなの何かなと思ったら、灯台《とうだい》か……。馬車の車輪と思ってたのも、水車だったし……」

「おぬしの発言は、テストプレイヤーの意見として取り入れられるはずじゃ。まだまだ難があるのう」

しばらく、ベルゼブブといつ終わるかわからないしりとりをしていたのだが、

「もう、おぬしの勝ちでよいのじゃ」

突然、試合放棄された。

「ボスがやる気ないのって問題なんじゃない……？」

「いや、わらわの中でクリアポイントの基準は設定しておった。これもプレイヤーに見えるようにしたほうがいいのう」

ベルゼブブは問題点をメモしている。このあたり、公務員らしさがある。

「それに、あまりラスボスを待たせたままにするのもよくないのじゃ。アズサよ、わらわの次の者がラスボスだとしたら――誰かわかるじゃろ？」

ベルゼブブが意味深な疲れた声で言った。

「なるほど……じゃあ、この先のラスボスは……」

案の定、次の玉座のある部屋に待っていたのはペコラだった。

「お姉様、お待ちしていましたよ～♪」

「だよなあ」


これが腐っても修行である以上、私が厄介だと思う相手がボスに設定されてしかるべきだ。

だとしたら、ペコラがここにいるのは正しい。

「わたくしも手を抜きはしませんよ」

「うん。でなきゃ、修行にならないからね。恨《うら》みっこなしで全力でやらせてもらう」

「お姫様を返してほしかったら、わたくしを見事倒してくださいね！」

「いやいやいや！　お姫様を救い出すなんてストーリーはなかったから！」

修行という設定以外、何も聞いてない！

「問答無用です！　勇者アズサ、いざ勝負！」

勝手に勇者アズサということにされている……。どうやら、勇者が魔王にさらわれた姫を助けるという設定になっているらしい。

ラスボスというだけあって、ペコラは強敵だった。

しかも、こっちはいかにもアクションゲームというぎくしゃくした動きしかできない。一方で向こうは「もどき」ではなく、普段のペコラのように動きまわってくるのだから、シャレにならない！

ダメージを受けて、後がなくなったところを追撃するように狙われた。

「はい、お姉様、隙《すき》ありで～す！」

背後に回り込まれたペコラにハグされた瞬間、画面が暗転して、自分がやられた時のＢＧＭが流れた。

チャチャッチャ、チャッチャ、チャッチャチャッチャ～！

気づいたら、ベルゼブブの部屋にいた。

「ここが中間地点なのじゃ。やられたら、ここからスタートじゃな」

「よかった……。最初の地点から繰り返してたらブッスラーさんもどきとエノもどきに払うコインが尽きてた」

「まあ、ゲームシステム上、ツケにして先に進めるらしいがの」

「それ、ボスでも何でもないのでは……」

ベルゼブブはまたも、ほどほどにしりとりをしたあと、ペコラの部屋に進ませてくれた。


私はそれからもペコラにこてんぱんにされた。

こっちは剣を前に投げる以外の攻撃ができないので、真上から攻められたりすると、どうしようもない。

一方で、向こうは私に触れた瞬間、ダメージを与えられる。ひどい難易度だ。

それでも繰り返すうちに次第に攻撃パターンを覚えてきた。

ペコラがゲームのキャラじゃないとしても、やっぱり癖《くせ》や特徴はある。

それを覚えたらどうにかなる！


私は十五回目のペコラの部屋にやってきた。

「そろそろ、あなたの攻撃パターンがわかったよ。クリアさせてもらう」

「そうですか。口先だけにならないように注意してくださいね！」

ペコラがすぐに突っ込んでくる。

その速度に私はなす術《すべ》なく接触して、魔女のローブから下着姿になる。もう一度ダメージを喰らったらまたやり直しだ。

「な〜んだ。お姉様、全然ダメじゃないですか」

いいや、本当の戦いはここからなんだよね。

そこから私はペコラの攻撃を器用に回避しつつ、着実に剣をペコラに当てていった。

決して上手なプレイではないから剣が外れることも多いが、それでもペコラの攻撃を回避しているる間は問題はない。

時間がかかろうと、ペコラのダメージは溜《た》まっているはず！

「むむっ……後がなくなってから善戦してくるタイプですか……」

「ペコラ、あなたには弱点があるんだよ！」

私はペコラを指差して言ってやった。

「あなたはこっちがダメージを受けてローブから下着姿になると、攻撃をゆるめる！」

そう！　次にダメージを受けたら負けという状態になると、少し難易度が下がるのだ！

「バレてしまいましたね……。恥ずかしがりながら戦っているお姉様を見るのが面白《おもしろ》かったので……」

「ていうか、それ、ただのイヤガラセだろ！」

しかし、そこが隙になっているのは事実だ。私は剣を懸命に当てる。

そして、十回を超える回数の剣がペコラに当たった時――

ついに終わりがやってきた。

「うぅ……。まさか、魔王のわたくしがやられるだなんて……」

わざとらしいことを言ってペコラが点滅しだした。ラスボスを撃破！

「この先に捕らえていたお姫様がいます。勇者アズサ、あなたの勝ちです……」

そして、ペコラは消えた。消えたといっても精神世界だから問題ないだろう。

たしかに部屋の奥に新たに扉ができている。

あそこにお姫様がいるのかはわからないが、とにかく修行プログラムをクリアしたことには違いないはずだ。メガーメガ神様が祝福でもしてくれるのかな。

私は素直に扉を開けた。

いきなり誰かがすごい勢いで抱きついてきた。

これはお姫様⁉

もしかして、メガーメガ神様がお姫様の格好でひっついてきた？

それこそ、これは神との合一を意味しますみたいなこじつけだったりして。


「お姉様、来てくださってうれしいです～♪」


思いっきりペコラだった！

「いやいやいや！　なんでまたペコラがいるの？　今さっき倒したばかりでしょ！」

「魔王にさらわれて、もうダメかと諦《あきら》めかけていました。勇者アズサお姉様を信じていてよかったです！」

「一人二役じゃん！」

あと、勇者という設定とお姉様という設定まで混在してるぞ。

「たしかに、ペコラは魔王でもあるし、お姫様みたいなものでもあるし、配役としては正しいのかな。いや、やっぱり無理がある……」

ペコラが私にひっついて離れてくれない間に、メガーメガ神様が出てきた。

「いや～、アズサさん、ゲームがお上手ですね。初日でラスボスまで倒しちゃうだなんて考えてませんでした」

「修行って設定忘れないでくださいね⁉　あくまでもゲームじゃなくて修行ですよ！」

「アズサさんのおかげで魔王は倒され、お姫様も解放されました。これで世界にも平和が戻ることでしょう」

「そのストーリー、かなり後出しで聞かされたんですが……」

「実はアズサさんが試行錯誤している間に思いついたので急遽《きゅうきょ》、投入しました」

リアルタイムでバージョンアップしていた。

やっとペコラが離れてくれたので、私もクリアの余韻にひたることができるようになった。

「ツッコミどころは大量にあったけど、クリアまでしたら達成感はあるや」

この達成感は修行をやり終えた感情なのだろう。

「アズサさん、お疲れ様でした。このゲームを作ろうと思った私も、間違ってなかったんだと胸を張れます。人に楽しんでもらえてこそのゲームですからね」

「修行だって建前《たてまえ》も出さないのはどうかと思うけど、お疲れ様でした」

これでぐっすりと眠って、明日もいい気持ちで起きられそうだ。


「じゃあ、裏面もこの調子でクリア目指してやっていきましょう！」

ものすごく、聞き捨てならない言葉が聞こえてきた。

「……あの、すいません。裏面ってどういうことでしょうか？」

「敵の数やトラップの数が増えて難易度がアップしている裏面を攻略して、初めて修行もクリアということになっています！　さらなるご活躍を期待してま——あっ、アズサさん、目が怖いですよ……」

これは私、怒っても許されると思う。

まだ部屋にいたペコラが楽しげに変な一人二役をやりだした。

「ふふふ、姫よ、またお前をさらってやる。助けてください、勇者様！　いくら警備を強化しても魔王から逃げることはできぬのだ。何度さらおうと勇者様がまた救い出してくれますわ！　勇者よ、魔王の城で待っているぞ。勇者様、魔王の城で待っています！」

「むしろ裏面をやらされる私を助けてほしい！」

メガーメガ神様が私の前に来て、首を横に振った。

「アズサさん、これは善と悪は本来同じものであるということを意味しているんです」

「どうせ、こじつけですよね」

「ガチです。しかし、今、考えました」

ここまでいいかげんな神様のおかげで、今の私の生活があると思うと、複雑な気分になりました。

しょうがないので私は難易度が高くなった裏面も必死に攻略した。

魔王役のペコラを撃破して、その二十秒後にお姫様のペコラにハグされた。

今度こそ、ゲームクリアだね。

そのあとにこんなスタッフロールが空に表示された。

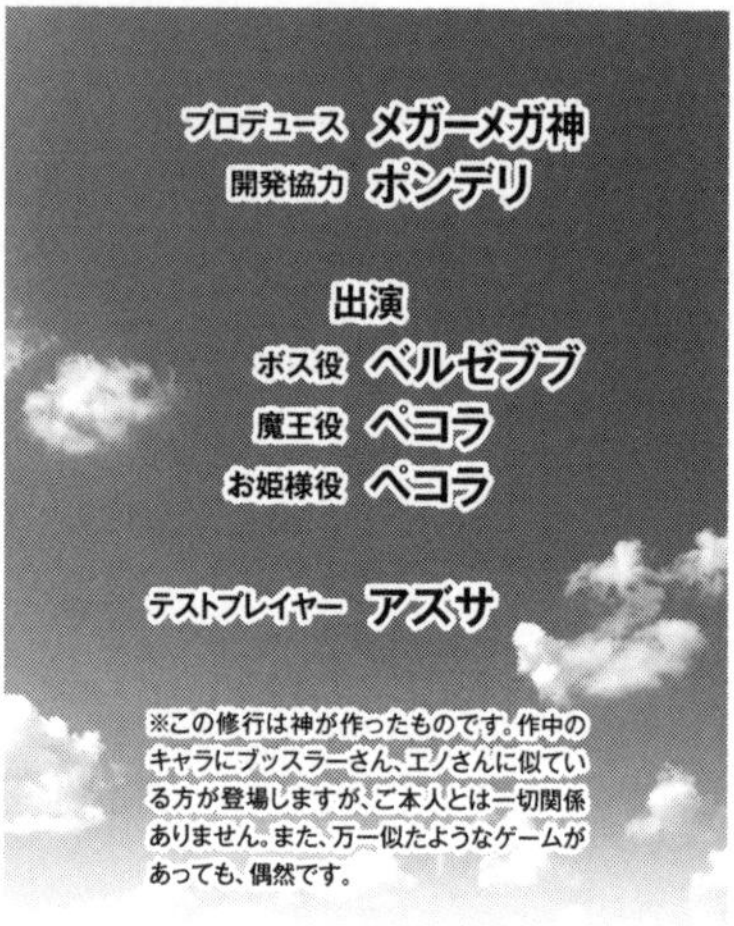
プロデュース　メガーメガ神
開発協力　ポンデリ
出演
ボス役　ベルゼブブ
魔王役　ペコラ
お姫様役　ペコラ
テストプレイヤー　アズサ
※この修行は神が作ったものです。作中のキャラにブッスラーさん、エノさんに似ている方が登場しますが、ご本人とは一切関係ありません。また、万一似たようなゲームがあっても、偶然です。

「やたらと慎重だな！」

翌朝、目覚めたら睡眠時間は足りているはずなのに、やけに頭が重かったです。

怪盗から予告状が届いた

She continued destroy slime for 300 years

夕方、工場から帰宅したハルカラが何か細長い紙を渡してきた。

「お師匠様、こんな展覧会をやりますよ！」

その紙にはこんなことが書いてあった。

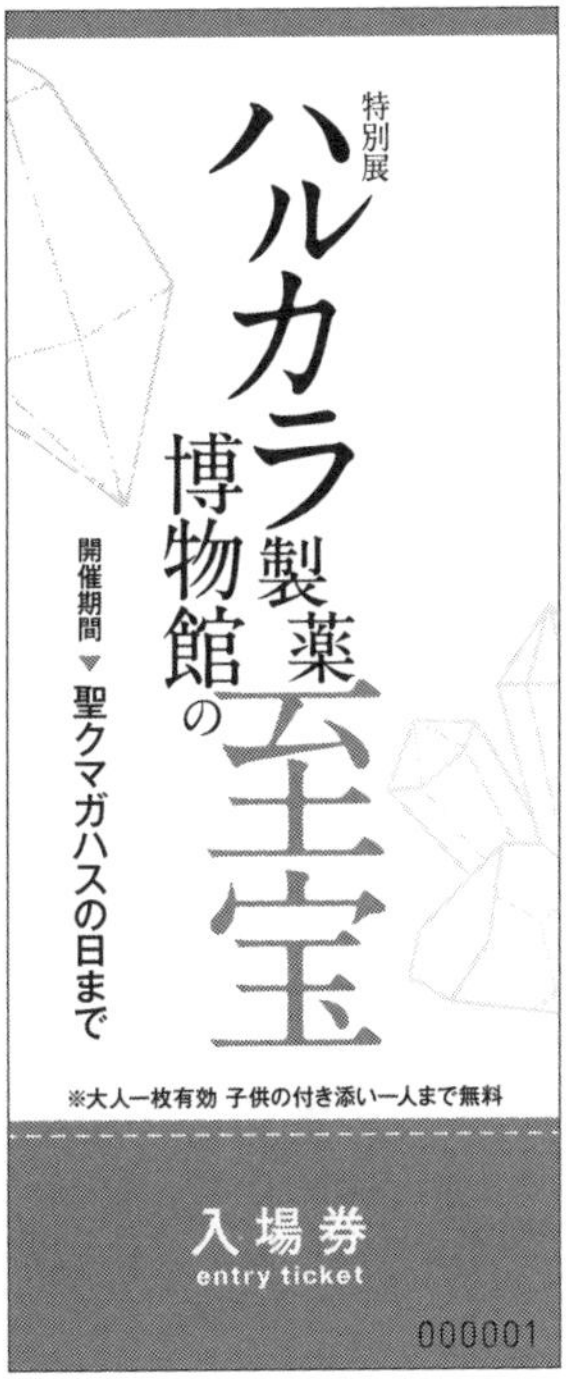

「そういえば、ハルカラって博物館を持ってたね……」

私は過去に神様のニンタンに頼まれて、池の整備をしたことがある。最初は蚊《か》が多いからどうにかしてくれということだったのだけど、途中でワニが棲《す》んでることがわかったりして、なかなか大変だった。

そのお返しとして、ニンタンから大聖堂に寄進されてきた宝物をもらったのだ。それも一つや二つじゃなかった。ニンタン本人も具体的に何をあげたかわかってなかったと思う。神様だから気前がいいのか、それともたんにおおざっぱなのか。

それをどんなものでも鑑定する、魔族の鑑定騎士団に見てもらったところ、とてつもない額がついて――

ついにはハルカラが博物館を建てたわけだ。

博物館がナスクーテの町の郊外にあるから忘れがちだけど、我が家の家族は博物館を所有しているのだ。すごい家族になったものである。

「そっか。展覧会をわざわざ企画するぐらい、まともに運営していたんだ」

このあたり、ハルカラのやる気は相当なものだと思う。間違いなくすごいのだけど、しょっちゅうミスをしているので、すごい人の印象があまりない。

かといって、意識高い系のＩＴ社長みたいなキャラの人と暮らしたくもないので、ゆるいハルカラでちょうどいいのかもしれない。

「せっかくですから、お師匠様も来てくださいね。ほら、あんまりお師匠様、博物館に来てくださってませんし」

「えっ？　一度は行ったけど……。そんな、みんな行ってるの？」

とてつもなく興味があるというわけではないが、これでも顔を出したことはある。

魔族や精霊たちが関《かか》わってくるせいで忘れがちだけど、基本的にはのんびりした高原の土地なのだ。娯楽も少ない。博物館も貴重《きちょう》な場所だと思う。

「入場はシャルシャちゃんが五回、ライカさんが七回ですね」

「かなりのハイペース！」

いつのまにやら、ライカとシャルシャがハルカラのそばに来て、チケットをもらっていた。この二人、ガチ勢だな……。

「ハルカラさん、前期と後期で展示品の一部入れ替えをしたりしますか？　それでしたらチケットを二枚いただきたいのですが」

ライカの発言、博物館に詳しい人の言葉だ……。

「いいえ、展示替えはないので大丈夫ですよ」

「ハルカラさんに聞きたい。このチケットは常設展示も見られるということでいい？」

今度はシャルシャがまた、詳しい人らしい質問をしていた。

「それも大丈夫ですよ。でも、シャルシャちゃん、常設展は何度も見てませんか？」

「いいものは何度見てもいい。それに博物館の空気は落ち着く。思索にもいい」

我が家の教養、一部で高すぎる。

「わたしの部屋にチケットを置いておきますので、好きなだけ取っていってください。ていうか、ハルカラ社長の家の者だって言ってくれれば入れてくれると思いますけど」

「そんなことないぞ」

そのハルカラの言葉にフラットルテが反応した。

「前に、博物館は涼しくて昼寝にちょうどよさそうだから入れろと言ったけど、受付の奴に拒否されたのだ」

「それはフラットルテさんの用途がほかの博物館の利用者の方に迷惑だからです！　それにしても、受付の人、ちゃんとお仕事なさってますね。感心しました」

たしかに……。ハルカラの作った博物館とはいえ、問題を起こす人なら家族でも入れないんだ。そこはプロ意識が感じられる。

それはそれとして。

特別展をやるということだし、娘たちと博物館に行こうか。

「ねえ、シャルシャ、ママと博物館行く？」

「もちろん。言うにおよばず」

シャルシャが拒否することはないとわかっていた。

ただ、ファルファのほうの反応は予想していたものと違った。

「ファルファはいいや。また今度、一人で行くよ」

えっ？　来ないの？　もしかして、シャルシャにだけ尋ねたと思ってすねちゃった？　それは誤解なんだけど……。

「シャルシャと行くと、解説が長くて疲れるんだもん。解説もちょっとズレてるし」

「あっ、そういうことね……」

事情は察した。

「シャルシャは博物館で騒いだわけでもない。問題はなかったと思う」

「ファルファはゆっくり見たいの。開催期間中に一人で行くよ」

展示を見て回るペースって人によってまちまちだしね。気をつかわずに一人で見るのがいいという意見もあるだろう。

そういうわけで、シャルシャと二人で博物館へ行くことになりました。

◇

天気のいい日を選んで、ナスクーテの町の郊外にある博物館へ向かった。

博物館はほどよい人の入りだった。混んでると落ち着いて見られないからね。

受付のおばさんが「あら、シャルシャちゃん。今日はお母さんと一緒に来たのね」と反応していた。やっぱり、シャルシャは常連で顔を覚えられているらしい。

博物館の内部はほんのり薄暗くて、展示を見るのにもちょうどいい。

第一章

ニンタン大聖堂に寄進された武具

勝利の女神としても知られていたニンタン女神のところには、各地から様々な武具が集まってきました。
ここでは、博物館が所有するすごい武具を紹介します。

ハルカラ製薬博物館の至宝

なるほど。どこの世界でも勝利を神様に祈るものなんだな。そのあたりは魔法が実在する世界でも同じらしい。

まず、展示してあるのは漆黒《しっこく》の鎧《よろい》だった。

「見るからに重そう……。こんなのを着て戦うのはつらいだろうな……」

「この鎧はノーギア慎重公《しんちょうこう》が奉納したもの。ノーギア慎重公は英雄乱立時代のカイラー州の領主。毎日寝る前に三回、火は消えているか、戸締りはできているか、明日の予定に変更はないかの確認をしたという」

「それは慎重だ！」

シャルシャの解説があるおかげで楽しく見られそうだ。宝物も武具も私は専門家じゃないからな。

ただ、子供に解説してもらう母親ってどうなのだろう……。

いや、むしろ、親あるあるなのかな。

恐竜のことが好きで調べまくる子供の知識を親がデフォルトで上回っていることって、普通はないだろう。そんな子供にいろいろ教えられるのは恐竜の研究者ぐらいだと思う。

基本の知識量がゼロで当たり前のジャンルだと、それについて興味を持った子供に大人が勝てるわけがない。

よし、ここから先もシャルシャに教えてもらおう。なんら恥《は》ずかしくないぞ。


鎧の次はやけに分厚い盾《たて》が展示されていた。

分厚さがよくわかるように、斜めに傾けて置かれている。盾というより壁というほうが印象として正しい気がする。

こんな盾を貫通する剣なんて絶対ないだろう。もっとも、だからといって実用性が高いとは言えない。壁を持って戦闘をしたら、重くて動けない。こんなのを持ちながら戦える人間なんていない。

「この盾を持ってたら、それだけで筋肉がつきそうだね」

盾に関する知識がないので、感想もふわっとしたものになる。

「それとも、神様に奉納するものだから、実用性なんてなくて、ただ、分厚くしてるだけなのかな?」

「母さんの考え方で正しいと思う。なお、この盾はマコシア負けず嫌い侯が奉納したものと説明板に書いてある」

それを聞いても全然ピンと来ない。私も歴史をもうちょっと学ぶべきだろうか。

「負けず嫌い侯は弟に城を奪われてから、各地を放浪し、いろんな領主に城を取り戻すために協力してくれと頼んでまわった。実に七年で四十五箇所に及《およ》ぶ」

「かなりしつこい人！」

「しかし、手を貸してくれる領主は現れなかった。ある領主はこう言って断った。『歩いて十五日もかかる場所なので、もっと近くの領主にお願いします』と」

「完全に正論！」

四十五箇所も頼みに行ったんだったら、遠くの領主にも顔を出したんだろうな。だけど、遠方の人にとったら知らないよって話だよね。財布を忘れた人に電車賃を貸すのとはわけが違うし。

「なお、負けず嫌い侯は十年後に領主の地位を取り戻すことに成功した。この盾もその時に奉納したもの。盾の裏側に『ニンタン女神様のおかげで再び我が城に住むことができました。感謝の印にこれを寄進いたします』と彫ってある」

「おお。苦節十年でどうにかなったんだ」

そのあたりの諦《あきら》めない姿勢は評価に値する。

「協力者が見つかったの？　それとも自分で兵を集めて、ついに奪還したのかな」

「弟が領主の地位を返してくれた。弟いわく『領主の立場ってもっと面白《おもしろ》いものだってイメージしてたけど、思ってたのと違った』とのこと」

「負けず嫌い侯、本当に何もしてない！」

「負けず嫌い侯は四十五箇所の領主に断られてからは、各地で祀《まつ》られている神に領主の地位が戻ってきますようにと祈ったという。領主の地位を戻してくれると弟が連絡した前日にニンタン大聖堂にいたので、ご利益があるとしてこれを奉納したらしい」

「たんなる偶然だと思う」

その次は人間がすっぽり中に入って隠《かく》れられそうなほど巨大な兜《かぶと》だった。

「もはや、一切《いっさい》の実用性がないよね。あくまでも奉納用のものだね」

それとも、この世界、巨人なんかもいるはずだから、そういう種族向けなのか？

「この兜はヨシガーナ州のギルセン二度寝侯が奉納したもの」

「二つ名みたいなのがショボい！」

よほど、ほかに特徴がない人だったんだろうな……。

「ギルセン二度寝侯は英雄乱立時代でもとくに戦に明け暮れた人物。人生を争いに生きたと言っても過言ではない」

「人間同士でずっと戦争していた時代もあるんだね。今は割と平和でよかった」

「その戦績は三十二勝三十九敗だったという」

「負け越してる！」

そりゃずっと戦争に生きても、豪胆侯《ごうたんこう》みたいな強そうな二つ名もらえないわ。二度寝侯って言われるわ。

それはいいとして、展示品を見ていって、一つ気になったことがあった。

「シャルシャ、奉納した人のことはよくわかったよ。解説ありがとうね」

少しシャルシャはうなずいた。

「いずれも有名な人物。解説というほどのことはない」

「ところで、この兜の紋様ってきれいだけど、これはどうやって作ってるのかな?」

どうも宝石みたいなものが埋《う》め込んであるみたいだけど、よくはわからない。

シャルシャがぴたっと硬直した。

博物館で動き回るほうが変だし、シャルシャは動きが派手《はで》なほうじゃないけど、時間が停止したように完全に動かなくなった気がした。


「そんなに詳しくないのでシャルシャもわからない……。間違ったことを教えても母さんに迷惑になるし……。知らないことに対しては沈黙しなければならない……」

「そっか、そっか。知ったかぶりをしない態度はとっても偉いよ、シャルシャ」

私は申し訳なさそうなシャルシャの頭を撫《な》でた。

どうも、シャルシャは工芸的な価値や美術的な価値までは完全には把握できてないようだ。どっちかというと文系寄りな知識だと思うけど、そこはまた別ジャンルなのだろう。

それとファルファがシャルシャと来なかったのも、このあたりに原因があるな。

おそらくファルファは、シャルシャが歴史的なうんちくばかり語るので、もっと展示しているものそのものに関する話を聞かせてと思ったのではないか。

まずはそのものの価値を知りたいとファルファなら考えそうだ。誰《だれ》が奉納したとかではなくて、その武具のどんなところが特徴的だったり、魅力的だったりするかを知りたがるはずだ。

かといって、いきなり美術の専門的な話を聞かされてもわからないことも多いし、シャルシャの逸話《いつわ》の説明も決して悪くはない。そこは好みの問題だろうね。

「……あの母さん」

シャルシャがうつむきながら、ぼそぼそと言った。

「うん、何?」

「シャルシャ、今後は美術史も学びたいと思う」

よく言った。

「うん、そのやる気はすごい。とっても偉い」

私はもっとシャルシャの頭を撫でてあげた。

そのあとも充実の展示内容だった。

「いやあ、改めてどれだけ大量のものをあの女神からもらったんだろうって実感したよ……。これ、元々、高原の家に入ってたんだよね……」

「きっと、もらった櫃《ひつ》の中に小さな宝石や調度類も入っていたのだと思う。そういうのは博物館では別の展示品になるし、もちろん場所もとる」

「なるほどね……。ニンタンが知りもしない奉納品も多かったんだろうな」

ニンタン大聖堂のほうでも管理が追いついてなかったし。

それがきちんと並べられて、価値が明らかになって、こうやって一般の人も見学できるようになったというのは、とても素《す》晴《ば》らしいことではないだろうか。

さてと、出口はあそこかな。私は展示室より少し明るくなっているほうに向かった。

その出口の先にはやけに派手な看板が出ていた。

ミュージアムグッズとハルカラ製薬の
商品発売中！
ここでしか手に入らない
スペシャルブレンドも！
『栄養酒』各種
取り揃えてます！
ハルカラ製薬博物館の至宝

やっぱり商売する気満々だな！

あくまでもハルカラが経営する博物館だということを最後の最後で実感しました。

◇

その日の夜はハルカラのために少し豪華な夕飯を作った。

展覧会をやるというのも何かと準備も大変だろうし、ねぎらってあげるべきだろう。

（あくまで個人的な意見だけど）褒《ほ》められるために何かをするというのは動機としてあまりよくないと思う。それじゃ、褒めてくれる人がいないと動けなくなってしまうからね。

誰も褒めないことでも、自分が面白いと思ったらやるべきなのだ。

一方で、もし自分がこれはすごいと思ったら惜しみなく褒めるべきなのだ。称賛は伝えるべきなのだ。

だから、私はハルカラを褒める！

そして、いつもとそう変わらない時間に、ドラゴンが高原の家の近くに降り立った。今日の帰りの送迎はライカの番だ。翼の羽ばたきの音でライカかフラットルテかがだいたいわかる。

ハルカラが入ってきたら、展覧会よかったよと言おう。

でも、その予定は崩《くず》れた。

「アズサ様、大変です！」

ライカがあわてて入ってきたのだ。

「えっ？　ハルカラがまた毒キノコでも食べた？」

ライカのトラブルと考えるよりは、ハルカラのトラブルのケースのほうが多い。

しかし、ライカの後ろからのんびりとハルカラが入ってきた。

ただ、手には羊皮紙的なものが握られている。

「いや～、お師匠様。すごいことになりましたよ～」

「どうも、ライカとハルカラの反応に温度差があるな……。いったい、何なの？」

「今日、こんなものが工場の事務所に置いてあったんです～」

ハルカラが持っていた羊皮紙を渡してきた。

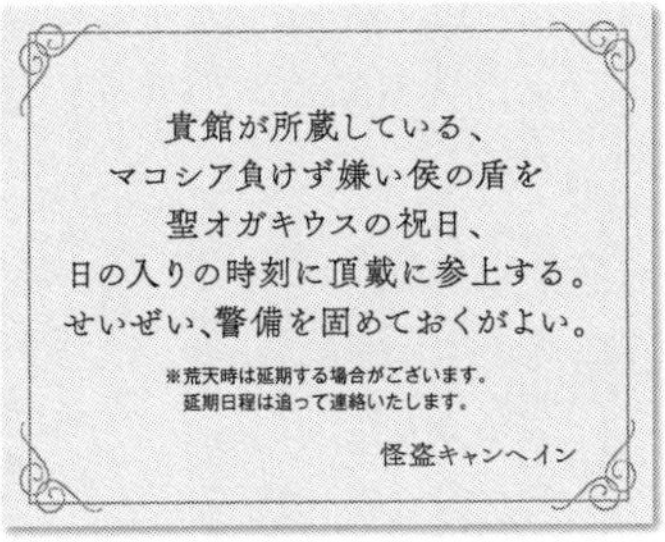
貴館が所蔵している、
マコシア負けず嫌い侯の盾を
聖オガキウスの祝日、
日の入りの時刻に頂戴に参上する。
せいぜい、警備を固めておくがよい。

※荒天時は延期する場合がございます。
延期日程は追って連絡いたします。

怪盗キャンヘイン

怪盗からの予告状みたいなの、来てる！

こんなの、本当にあるんだ。てっきり物語の中だけのことだと思ってた。

だが、よく見ると、変なところもあるな。

「荒天の時は延期するのか。やけに律儀《りちぎ》だな」

「いえいえ、お師匠様、この律儀すぎるところこそ、怪盗の怪盗たる所以《ゆえん》ですよ。これは正真正銘の怪盗です！　会ったことはないですけど！」

だったら、そんな自信たっぷりに言わないでほしい。

「いやあ、うちの博物館にもついに怪盗が来るようになりましたか。わたしも鼻が高いです！　博物館なんて怪盗に目を付けられてナンボですからね！　それだけ、いいものがありますよと言われているようなものです！」

博物館の館長が無茶苦茶《むちゃくちゃ》はしゃいでいるけど、それはいいのか……？

「ハルカラの気持ちもわからなくはないけど、もうちょっと緊張感は持ったほうがいいんじゃない？」

お宝を盗まれて大損害になるおそれだってあるわけだし。なにせ相手はプロの泥棒なのだ。アマチュアの泥棒がいるのかわからない部分もあるが。

「そうです、ハルカラさん。これは、博物館の危機ですよ！」

ライカのほうはやけに興奮している。

「窃盗は決して許されることではありません。もちろん、飢えてパンを盗むというような、やむをえぬ場合もあるでしょうが、今回は予告までするような完全なる愉快犯です！　悪事を働いている自覚があるのに、それを楽しんでいるわけだから極悪です！」

これはまたライカの正義の心が燃え盛っている……。口から炎が出てきそうだ。

盗まれる前からそこまで憤らなくてもいいのでは。

いや、私が甘いのか。おおむね平和に生きてきて、泥棒に遭ったこともないしな。

高原の家ってぽつんと立っているから泥棒も入るのはためらうのだと思う。

「悪事を娯楽と勘違いしているとはあまりにも不届き千万！　一回、こらしめてあげなければいけませんね！」

「ま、まあ……ライカはライカで落ち着こうか。こういうのって冷静にならないと足下をすくわれるものだし」

「アズサ様、さすがです。たしかに平常心を失っていては本来の力を発揮することもできないものです。我としたことがカッとなりすぎていました……」

ライカの場合、博物館に泥棒が入るということより、予告状を出してきたというその行為に憤っているところがある。真面目《まじめ》なライカには信じられないことなんだろう。

「ひとまず、書かれた予告状を何度も読もう。そこにヒントが隠されているかも」

隠されていたことでもなんでもなくてはっきり書いてあったことだけど、再読して気づいた。

「この怪盗、負けず嫌い侯の奉納品を狙《ねら》ってる⁉」

シャルシャに聞いたところだと情けない領主だったはずだけど、奉納品はとてつもない価値があったのか……？　領主だし、それはそうか。安物を奉納しないか。

だいたい、お世話になりましたという意味を込めて寄進したものが安物だったら罰が当たりそうだしな……。

実際、ニンタンが安物を意図的に奉納しているところを目撃したら、カエルにしたりしたかも。

雑に保管してたってことは意識にすら留めてなかったのだろうが。

あと、ライカも何度も予告状に目を通してるうちに、あることに気づいたようだ。

「これは飾り文字！　こんな無礼な手紙を飾り文字で送ってくるだなんて、やはり博物館を愚弄《ぐろう》しています！　なんと性根の腐った者でしょう！」

「だから、落ち着いて、落ち着いて！　熱くなってもしょうがないから！」

そろそろ、ライカの口から本当にファイアブレスが出る危険が出てきたので、一度ライカには席をはずれてもらった。

ハルカラと二人で今後の相談をする。

「ふうむ。別に縦《たて》読みで何か違う意味が出るなんてこともないですね～」

気楽そうなハルカラだとかえって秘密を解けそうだなとも思ったが、最初からそんな秘密は予告状にないのかもしれない。

「ねえ、怪盗キャンへインって奴《やつ》には心当たりあるの？」

そういえば、この怪盗自体は有名なんだろうか。

「いえ、知りません。ハルカラ製薬が博物館を経営するようになったのも、ここ最近ですから、盗まれるようなものを持ってませんでしたし」

「たしかに『栄養酒』一ダースを盗むって予告はないよね」

「こういうの、ギルドに聞いてみたら何か知ってるんじゃないですか？　泥棒ならおたずね者リストにいるかもですよ」

「それだ！」

◇

翌日、私はフラタ村のギルドのナタリーさんに、予告状を見せた。

「ああ、この怪盗さんですか」

「その反応は、やっぱり有名な怪盗⁉」

冒険者の中では高額の懸賞金がついてる奴だったりするのかな。

「有名と言えば有名ですが、無名と言えば無名です」

「中途半端《ちゅうとはんぱ》なラインだな！」

「まさに中途半端な知名度なんです。泥棒に詳しい人は知ってるでしょうけど、一般人は絶対知らないですよ。フラタ村だと知ってるのはギルド職員の私だけじゃないですか」

「ああ、それなら問題ないです」

ルパなんたら三世みたいな知名度ではないということだけど、そのへんのおじさんやおばさんが犯罪者の名前を知ってるほうが不気味《ぶきみ》なので、そんなものだろう。

「この泥棒、変なものばかり盗むんですよ。成功率はそれなりに高いと思います」

「怪盗は実在したんだ」

私の脳内にはルパなんたら三世の顔が浮かんだ。

けれど、ナタリーさんは困ったような顔になった。

「怪盗って言うほどなんですかね……？　たしかに以前にも神殿の宝物庫からブレスレットを盗んだことはありますけど……」

「おっ、見事に盗みに成功してるじゃないですか」

ナタリーさんはその事件の資料を見せてくれた。「予告状には『聖タヌクスの祝日の夕刻に必ずブレスレットを頂戴する』と書いてあった」とある。

「文句《もんく》なしの予告状だ！　よっぽど自信があったんですね！」

犯罪事件ではあるので少し不謹慎かもしれないが、こういうのを読むと、わくわくしちゃうところもあるな。

「高原の魔女様、もっと後ろのところを読んでみてください」

なんだ、このナタリーさんの冷めた反応は。

資料の後半に「なお、予告状は盗難の発生後に郵送されてきた」と書いてあった。

「え……？　盗難の発生後……？」

話がおかしくなってきたぞ。

「ですよ。それって予告状って言うんですかね？　すでに盗んでるんだから絶対に成功しますよね。結婚してから今年こそ結婚しますって宣言してるようなもんじゃないですか？」

ナタリーさんはまだ結婚相手が見つかってないせいか、たとえが結婚のほうに寄る。ややこしいので触れないようにしよう。

「これは、たんに手紙が届くのが遅れただけなんじゃないの……？」

郵便システムもまだまだ不完全なので、時間がかかることは珍しくない。というか、そういうふうに解釈させてほしい。

「いえ、手紙の受付をした日の印がついているので、それはないです。確実に盗んでから予告状を送っています。ちなみに、予告状が届いたことでブレスレットが消えていることに神殿側も気づきました」

私の考えていたイメージ像からズレてきた。

「この泥棒、ギルドの職員の間では**『後出し予告の奴』**って言われてます。たとえば、こんな事件なんて典型的ですね」

馬車の忘れ物の財布盗難事件

老紳士が路線馬車に置き忘れていた財布が盗難された。後日、老紳士のところに怪盗キャンヘインから「馬車に置いてある財布を頂戴した」旨《むね》の手紙が届いた。

「セコい！　怪盗っぽさが皆無！」

なお、手紙に同梱《どうこん》されていた包みには老紳士の財布と、元の財布に入っていた九割のお金が入っていた。

「拾得物で一割もらう拾い主か！」

もっとも、一割もらうというのも、相手がくれると言ったら初めてもらえるものであって、勝手に抜いたら泥棒だ。この場合、実際に泥棒だから、その点は問題ないけど。

「こんな感じで、後出しを平気でしてくるんですよ」

「うわあ……。ただの面倒な人なんですね……。まっ、予告状を送ってくる人な時点で面倒なのかな……」

怪盗が華麗《かれい》なのは物語の中だけなのかもしれない。

「ただ、魔女様、私が脱力させちゃった手前、申し上げづらいんですが、一点ご確認いただいたほうがいいかと思います」

「ん？　どういうこと？」

「この怪盗って、**『後出し予告の奴』**って呼ばれてるぐらいなんですよね」

「うん、さっきそう聞いたよ」

そこでナタリーさんは少し目をそらした。

「なので、今回もこの調子ですでに盗まれた後というおそれが――」

「それはまずい！」


私はギルドを飛び出すと、ナスクーテの町まで走った。

私のステータスで走れば、そんなに時間もかからずにバテることもなく、ナスクーテの町まで行ける。

しかも、宿駅伝で優勝した経験まであるからね。考え方次第ではトップアスリートと言えなくもない。

目的地はもちろん、ハルカラ製薬の工場だ。

受付の人に、ハルカラを取り次いでもらうと、中に通された。

「あっ、お師匠様！　怪盗の件で変化があったんです」

私が何か言う前にハルカラがそう口にした。

「げっ……。もう盗まれちゃってた？」

おのれ、セコい怪盗め！

「へっ？　いえ、盗まれてませんよ。ちゃんと展示されてます」

ハルカラが不思議そうな顔をしたので、どうやらお宝は無事らしい。

「じゃあ、起きた変化っていったい何なの？」

「怪盗から新たに手紙が届いたんですよ！」

世間では**後出し予告の奴**と言って、バカにしている人もいるようだが、今回は本当に事前に予告状を出した。ウソではない。人生初の試みなので緊張しているぐらいだ。間違いなくマコシア負けず嫌い侯の盾を聖オガキウスの祝日、日の入りの時刻に受け取りに行く。ウソではないぞ。

※盗難が心配な場合は今のうちに保険に入るなどの手続きをしておいてください。コカトリス保険商会がお勧めです。なお、怪盗とこの商会には一切利害関係はありません。

怪盗キャンヘイン

「本人からの念押しみたいなのが来てる！」

よほど「後出し予告の奴」って呼ばれるのが嫌だったんだろうな……。いや、でも、人生初の試《こころ》みだって書いてるし、ずっと後出しをしてきたのか。まさしく「後出し予告の奴」じゃん……。

そして、今回も末尾《まつび》に配慮が見える。盗む側が保険会社まで提案するな。

「いやあ。怪盗っていうのは、なかなか紳士的なんですねえ。フェアプレイの精神が感じられますよ～」

「そうとも言えるか。ここまで言ってる以上、先に盗まれていたなんてことはなさそうだね」

もし、これでもう盗んでましたなんてことが発覚したら、「後出し予告の奴」って名前を広めまくってやる。

「ところで、ハルカラ、防犯対策はどうしてるの？　怪盗側もガチみたいだし」

怪盗は初の試みと書いてるから、事実上、予告を出して成功させた経験はないはずだけど、だからこそ全力を出してくるとも言える。

それに予告状が後出しだったとしても、金品を盗んできた実績はある可能性もある。むしろ、それすらなかったら、怪盗でもなんでもないよね……。たんなる自称だよね……。

「予告状の日付まではまだ一か月あるし、その間にやれることはやったほうがいいよ」

「お師匠様、言わずもがなです。このハルカラ、打てる手はすべて打っていく所存です。抜かりはありません」

自信満々にハルカラが胸を張った。

ハルカラの自信はかえってこちらを不安にさせることも多いんだけど、今回ははっきりと事前連絡まで怪盗から来ているわけだし、手を抜くことはないだろう。

「このことは、ハルカラ製薬博物館への挑戦ですからね。わたしが応《こた》えないといけないと思っています。高原の家の皆さんはあまりぴりぴりせずに過ごしてください。本当に必要になったら、お願いしますし」

高原の家の家族で協力できることって何があるんだろう?

たとえば、ロザリーに間近で見張ってもらうとかだろうな。

ロザリーなら展示している盾のすぐそばで控《ひか》えていられるし、眠り薬で眠らせることもできない。縄で体を拘束することもできない。

なにげにロザリーがそばにいたら無敵な気がしてきた……。

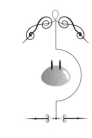

本当に怪盗が来た

She continued destroy slime for 300 years

そして、予告状の日が近づいてきた頃。

ナスクーテの町に変化が起きた。

それは昼間に買い物に出たフラットルテの口から聞くことになった。

「ご主人様、ナスクーテが無茶苦茶《むちゃくちゃ》にぎわってました。あれは王都ぐらいの人口密度ですよ」

「えっ……？　いったい、何が……？」

怪盗がやってくる聖オガキウスの祝日まではまだ五日ほどあった。その前にナスクーテの町でお祭りがあるという話も聞いていていない。

「町で何が起こってるの？」

「せっかくですし、みんなで行ってみたらどうですか？　屋台もたくさん出てるみたいですし」

そういえば、フラットルテの口にタレみたいなのがついていた。なんか食べてきたな。

「よし、娘たちにお祭りに行くか聞いてみるか」

結局、家族全員でその謎《なぞ》のにぎわいを見に行くことになった。

私は足が疲れやすいサンドラを背負って、両手でそれぞれファルファとシャルシャの手をつないでいる。完全なるお母さんスタイルだ。

その前をドラゴン二人とロザリーが進んでいる。

たしかに遠目でもナスクーテの町のあたりを人がやたらと歩いているのがわかった。

「ここからでも、音が聞こえてくるね～。音って風に乗ると、遠くまで響くんだよ～」

ファルファの言うように、遮蔽物《しゃへいぶつ》がほぼ存在しない高台のほうにも町の喧騒《けんそう》が響くことはある。

ただ、にぎわっている時期が限られているので、その機会はそんなに多くない。

「ねえ、シャルシャ、百年に一回ぐらいのレアな祭礼みたいなのがやられてるってこともない？」

シャルシャは本を開きながら歩いていた。『ナンテール州の歳時記《さいじき》』という本のはずだ。

「この本で探しているが該当《がいとう》するものがない。おそらく突発的なものだと思う」

「だとすると、何だろ？　考えられるのは、やっぱり怪盗関係のこと？」

「あっ、けど、姐《ねえ》さん、今日からいきなりにぎわったわけじゃないですよ。だんだん人手が増えて、ついにこの規模にまでなったみたいです」

ロザリーはその変化に気づいていたらしい。幽霊《ゆうれい》だとよく見えるものなのだろうか。

「人が増えると、それに興味を持って浮遊霊がついてくるんです。なので、ナスクーテの町に来る霊が増えてて、何かあったのはわかったんですよね」

「霊的なものも増えてるのか……」

まあ、人間が過去に一切《いっさい》訪れたことのない場所には霊はいなそうだしな。

町に近づくと、にぎわいはさらにはっきりしだした。

たしかに屋台みたいなものも並んでいる。

「あっ、飴《あめ》細工のお店がある！　ファルファ、食べたい！」

「妹として姉さんに従う」

「はいはい。二人とも買ってきていいよ」

ファルファとシャルシャが楽しめるのはありがたい。そんなに娯楽が多いところじゃないしな。

しかし、人が集まっているだけではなくて、明確に人の流れみたいなものがある。

ある方向に進んでいる人たちが多いのだ。

具体的な予感ではないが、軽く察しはついた。

「この流れ、ハルカラ製薬博物館に向いてるな」

「あれ、アズサ、あんな看板、前に来た時にあったっけ？」

背中のサンドラが声を出した。

そういえば、「ハルカラ製薬博物館　徒歩十二分」という看板がある。

さらにちょっと行くと、「ハルカラ製薬博物館　徒歩十一分」という看板が。細かく刻みすぎではなかろうか。

「最近になって置かれた気がするな……」

そして、人の流れに従いながら、博物館の前まで行くと、文字を書いた布が博物館の壁にかかっていた。

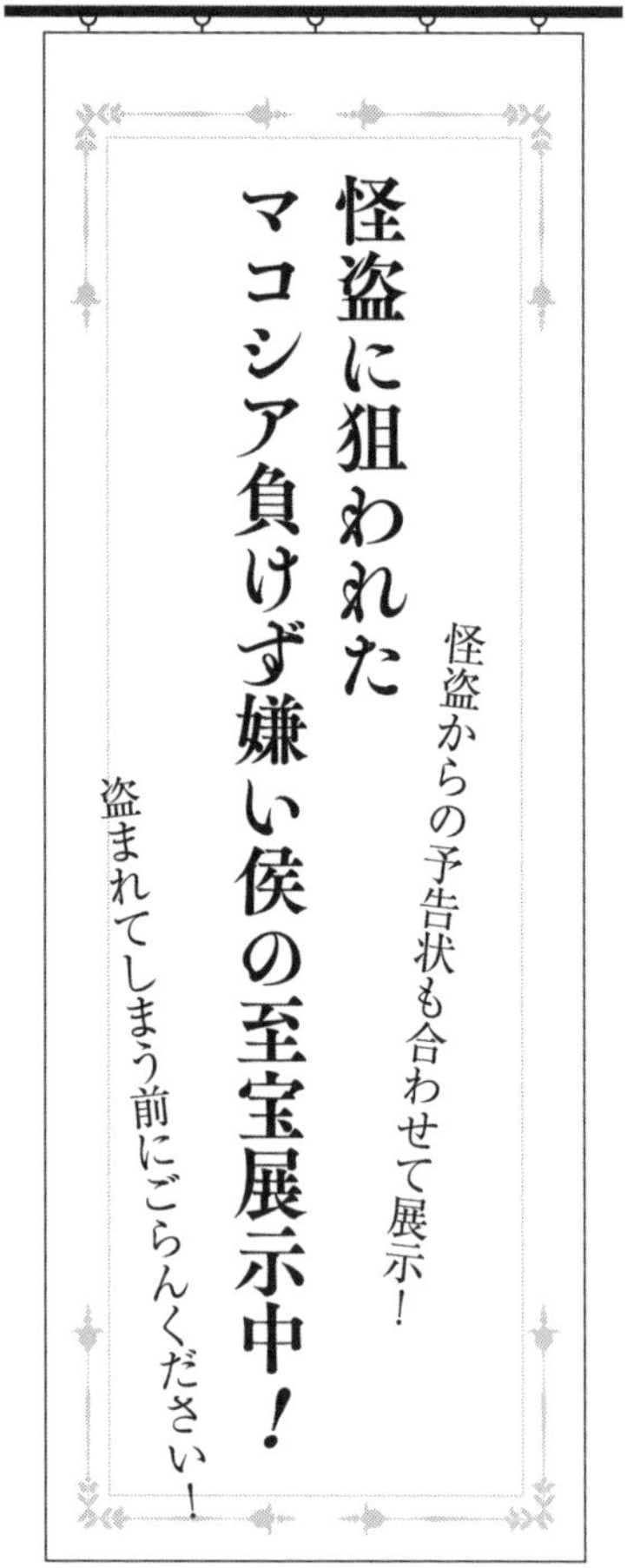
怪盗に狙われた
マコシア負けず嫌い侯の至宝展示中！
怪盗からの予告状も合わせて展示！
盗まれてしまう前にごらんください！

「ハルカラなりに全力を出してきた！」

ナスクーテの町が盛り上がっていると聞いて、なんとなく感じてはいたんだ。

正解だった。

ハルカラ、こう言っていたんだよね。

――このハルカラ、打てる手はすべて打っていく所存です。

つまり、怪盗に狙われているということを逆手にとって、大々的に宣伝をして稼《かせ》ぐぞということだったか！

博物館は郊外にあったので、空き地も多かったのだけど、今はそこにも屋台が並んでいる。「怪盗なんかに負けないカギ」とか「あなたの口から唾液を盗む、ノド渇きまくりパンケーキ」とか、怪盗に乗っかった商売をしているものが多数見受けられる。

「ううむ……。アズサ様、我は複雑な心境です……」

ライカの顔いっぱいに困惑が広がっていた。

「窃盗犯の鼻を明かすためにこのような趣向をこらすのも作戦としてはよいのかもしれませんが、我の心が何かが違うと訴えているというか……」

「うん、ライカの気持ちはわかる……」

怪盗に備えるってこういうことではない。

「そもそも、こんなに各地から人が訪れたら、窃盗犯だって簡単に紛《まぎ》れ込《こ》んでしまえるではないですか。展示品を守るには逆効果のはず……」

ものすごい正論が来た。

「そこは、一度、盾《たて》がどういう扱いを受けているか見てから判断しよっか。ここまで来たら入館して確認しちゃおう」

家からチケットは持ってきていたので、全員で博物館に入った。

なお、混雑のせいで、入館にすら十分ほどかかった。地方の博物館としては異例の混み方だと思う。

人のにぎわいは、やっぱり怪盗に狙われている盾のところで最高潮に達していた。

盾は以前と展示場所が変わっていて、使っていなかった部屋の中心に移されていた。

やけに背の高い大理石の台の上に乗っていて、部屋の周囲には予告状や盾を奉納したマコシア負けず嫌い侯に関する資料なども展示されている。

「領主の私的な手紙や所領安堵《あんど》状などをこの博物館が所蔵していることはなかったでしょうし、ちゃんと資料を持っているほかの博物館から借りてきているんでしょうね。その点は、しっかり博物館として活動をされていると思います……」

博物館慣れしているライカが、そう結論した。

でも、やっぱり何か得心がいかないという顔をしている。

繰り返しになるが、私もその気持ちはわかる。

「ただの分厚い盾だな。あんなのをみんなが見に来てる理由がよくわからないのだ」

フラットルテは興味がなかったからか、やっぱり初見なんだな。

「でも、あの盾に全力でパンチして破壊できるかどうかは気になるな。力比べにはちょうどいいのだ」

「フラットルテ、絶対にパンチしたらダメだからね？　展示品だからね⁉」

「ご主人様、いくらフラットルテでも展示品と力比べだとかそこまで非常識なことはやりません」

ああ、私もちょっと神経質になりすぎたか。

「フラットルテはその怪盗とかいう奴と力比べがしたいのだ！」

「いや、別に怪盗って力に自信はないはずだから！」

「だけど、あんなデカい盾を持って逃げる奴《やつ》は力自慢のはずなのだ。そんじょそこらの奴ではあれを持って戦うなんてできないのだ」

いや、それを装備して戦うわけじゃないからと思ったが――


たしかに小さな指輪とはわけが違うし、怪盗はどうやって持って帰る気なのだろう？

ドラゴンだとか力に自信がある種族でなければ、盗難は難しいはずだ。

本当に人が驚くすごい裏技でもあるのだろうか？


私たちは一応、ハルカラを訪ねた。

博物館まで家族で来て、顔を出さないのはそれはそれで変だしね。

私たちは博物館の応接室に通された。

「おお、皆さん、お揃《そろ》いで。どうですか？　宣伝してまわった甲斐《かい》がありましたよ！　開催期間初期の三十倍のお客さんが入ってます！　ナスクーテの町の経済効果も抜群で、町長に褒《ほ》められちゃいました！」

「経済効果のほうは痛いほどわかったけど、盗難対策はどうなってるの？」

こんなに混んじゃうと、怪盗からすれば「盾を手に入れる難易度が大幅に下がってラッキー」と思う気がする。利敵《りてき》行為にしかなってない。

「その点も大丈夫です。酔ってない頭で真剣に考えましたから！」

じゃあ、何かしらの手は打っているのか。

たとえば、レプリカの盾を置くとか、そういうことをするのかな。

「盾が盗まれたところで、十二分に元は取れてます！　どうってことはないです！」

「博物館の館長が言っていいことじゃないだろ！」

「いえ、お師匠様、あの盾だけ単体で鑑定家の人たちに査定をしてもらったんですよ。すると、価値はせいぜい三十万ゴールド程度らしいんです」

「あれ……けっこう安いな……」

もちろん、博物館の所蔵品は値段の高低で判断していいものではないけど、怪盗が予告状を出すほどのすごいお宝の額ではない。

「それだけ安いということは美術的な価値もあんまりないってことです。盗まれないに越したことはないですけど、盗まれたらその時はその時かな～と。ていうか、怪盗が名乗り出てきたら、博物館の宣伝に協力してくれてありがとうってそのまま盾を進呈してもいいぐらいです」

それ、ただの贈与！

「ハルカラさん、考えましたね。盾をこちらから渡してしまえば、もはや、それは窃盗ではありません。盗みを繰り返していい気になっている者の裏をかく行為だと言えます」

「ライカ、とんちみたいな策では怪盗をやっつけたことにはならないと思うよ……。泥棒（をする予定だった人）は盾を入手してるよ……」

「わ、わかっています……。ですが窃盗犯の目論見《もくろみ》を外すということにおいては、ハルカラさんの手も間違いではないなと……」

もはやロジックの問題になってきたな。

しかし、防犯は当然するべきではあるけど、価値が三十万ゴールドの盾なら、最悪、盗まれてもいいかという気にはなってくる。少なくとも、それを盗まれたからといって、博物館の運営に響くことはない。

ある意味、この怪盗事件はすでに解決したと言えなくもなかった。

「怪盗が現れる日には、さらに大きなイベントになりますからね！　ぜひ見にきてください！　はたして、怪盗が勝つか、防犯に力を入れている私の博物館が勝つか！」

ああ、ちゃんと当日は怪盗対策をするつもりのようだ。

その時、ハルカラの顔に別種の笑みが浮かんだ。

「もっとも、経済的には博物館の勝利は決まっているんですがね。ふっふっふ……」

ハルカラが悪いことをしているわけではないのだけど、もはやハルカラを心配する気持ちはうせました。

だって、今のハルカラ、何一つ困ってないからね。

◇

そして、聖オガキウスの祝日がやってきた。

マコシア負けず嫌い侯の盾は大理石の高い台ごと、わざわざ屋外に移された。

さらに盾は石製の宝箱に入れられ、その宝箱には解除せずに触れると体に電流が走る結界が張られている。

塔みたいな大理石の高い台の周囲には屈強な大男が四人、さらにその大男の間に名うての魔法使いが四人も配置されている。

その大男と魔法使いの外側には深い空堀が掘られていて、飛び越えるのも大変だ。

なお、地面に異変がないかはサンドラが土の揺れを確認して適宜報告する。

空にはフラットルテがドラゴンになって飛んでいる。なので、空から落下してくるということも難しいと思われる。

配置されている大男と魔法使いに怪盗が変装してないかも事前に調べてある。

堀の外側にはごった返すギャラリーの山。

博物館の壁には「歓迎　怪盗キャンへイン様」の幕がかかっている。

「アズサ様、結果的になかなか厳重な対策になりましたね」

ライカが盾を置いてある台を見上げながら言った。

「だね。この状況で盾を盗みだしたら本当に怪盗だと思うよ」

ハルカラが油断しまくっているのではという懸念《けねん》があったのだけど、それはいいほうにはずれた。

ハルカラにとったら、怪盗が現れる当日は、いわば興行《こうぎょう》の目玉なので、怪盗対策にも全力を尽くしているのだ。

「そういえば、アズサ様、かつて泥棒が侵入しようとすると捕まえる魔法陣を描いたことがありましたね」

あれはライカが私のところに来たばかりの頃だな。なつかしい。

「うん、今回も町の出入り口に張ってるよ。ハルカラに頼まれた」

そのあたりもハルカラは念には念を入れてきた。

「ただ、あくまでそれはおまけみたいなものだよ。怪盗が事前に町に入り込んでる可能性も高いし、あれって心に反応するから怪盗なら自分の心ぐらいコントロールして町に入ってくるんじゃないかな」

あの魔法陣だと「よーし、この町で財布を盗んでやるぞ」みたいなわかりやすい悪いことを考えてる奴しか捕まえられない。

あまりに強力に反応すると、わずかな悪意を持ってる人でも片っ端から捕まえることになってしまい、それだと心まで検閲《けんえつ》しているみたいになるしね……。

やがて、ハルカラがよそ行きの服で現れた。

「さあ、怪盗キャンヘインさん、まもなく約束の日の入りです！　わたしは博物館の館長としてやれるだけのことはやりました！　さあ、あなたの全力を見せてください！」

ハルカラからの宣戦布告ということか。

そこからはかえって会場周辺は静かになった。

どこからか怪盗キャンヘインがやってくるのでは、と考えているのだろう。

なにせいつ怪盗が出てくるかわからないからね。雑談をしているうちに見逃したらもったいない。

もったいないという表現も変だけど、ここに来ている人たちは怪盗とハルカラの博物館の防犯体制の勝負を望んでいるはずだ。

それにしても、今日だけでとんでもない額のお金がナスクーテの町に流れてるだろうな……。それだけじゃなく、フラタ村だとか周辺の宿もすべて埋《う》まっているはずだ。

怪盗は福の神みたいなものかもしれない。

でも、五分後に怪盗が来るのか、三十分後に来るのかわからないから、ずっと黙っているのも大変だ。

「ねえ、ライカ、ちなみにだけど、もしライカが怪盗だったらどうやってあの盾を入手する？」

なので、こんな話を声のトーンをちょっと落としてやることになる。

「そうですね、我なら、ドラゴン形態になり、フラットルテを打ち破ってあの石の宝箱ごと、持ち去って飛び立ちますね」

「ライカとしては正しいけど、あまり参考にはならないな……」

巨大すぎるドラゴンだと、あまり一般的な価値観が役に立たない。

しかし、それぐらいの裏技がないとあの盾を盗むのは無理なんじゃないか。

堀を飛び越えたところで、そこには冒険者が合計八人もいる。それに勝てるだけの力があっても、まだまだ難易度は高い。上空にはフラットルテもいる。

私には絶望的な難易度に見える。

もっとも、怪盗というのは、そんな不可能に見えるところから物を盗み出すから怪盗なのだ。

こういう防犯体制であっさりブロックできるならそれは怪盗じゃない。

事前に予告状を出しちゃった、ただのおばかな人だ。
※本来、予告状は事前しかありえないのだけど、今回の怪盗が「後出し予告の奴」と呼ばれてるので、重複したような表現になっています。

そして、待っているギャラリーの緊張感がほどよく切れてきた頃——

会場に動きが起こった。

何者かが空堀に落ちた——いや、下りた！

長い耳と黒っぽい肌に銀色《ぎんいろ》の髪、どうもダークエルフという種族のようだ。あと、体型からして女性らしい。

あれが怪盗か？　いや、まだわからない。たんに空堀に落下しちゃっただけの人ということも考えられる。

だが、クサビみたいなものを土の壁面に突き立てて、そのダークエルフは盾があるほうに登っていく。

どこからか「これは間違いなく怪盗だ！」といった声が響いた。

たしかに一般人がそんなことをすれば怪盗とみなされて攻撃されてもおかしくない。

悪ふざけでできる次元は超えているから、怪盗の可能性が高い！

「出たな！」「返《かえ》り討《う》ちにしてやる！」「詠唱《えいしょう》開始！」

すぐに大理石の台の周囲に配置されている魔法使いが魔法の詠唱をはじめた。

炎や風が堀の壁面を登ってくるダークエルフにぶつかりまくる。

風の音や爆発《ばくはつ》音のようなものが私の耳にも届いた。

回避もできないようなら、これで終わりだな。

だが、おそらく目撃していた私たち全員の予想は裏切られた。


「ふんっ！　忍耐！　この程度、忍耐！」


そのままダークエルフは空堀を登り続ける！

しかも、ダメージを受けまくってボロボロになった姿で！

「えっ？　どういうこと？　魔法が効かない防御をしてる――ってことはないか。ボロボロだしなあ……」

「アズサ様、あの者、ただの気合いで乗り切っています！」

ライカの表情にわずかばかりの感嘆が見える。

「えっ？　魔法の攻撃って、気合いでどうにかできるものなの？」

「でも、現にどうにかなっていますので……」

まあ、喰《く》らったら即死なんて次元の魔法は用心棒の魔法使いも選べないだろうけど……それにしてもあのダークエルフはすごい。

ついにそのダークエルフは魔法使いと大男がいる大理石の台の前までやってきた。


「ふはははっ！　怪盗キャンヘイン参上！　盾はいただくぞー！」


ついに名前も名乗ったな。やはり予告状を出した怪盗で合っている。

「一週間前に現地入りしてしまって、正直早く来すぎてちょっと後悔していた！」

そんなことまで話さなくてもいい！

「怪盗め！　悪いが容赦はせんっ！」

大男の一人が両腕でダークエルフをつかみにかかる。

ああ、押さえられたら、もうおしまいだ。

そのはずが、ぬるっとダークエルフは腕から脱出した。

「はっはっは！　ヌメヌメガエルの粘液を全身に塗りまくっている！」

なんか汚いなっ！

実際、ギャラリーから「臭《くさ》そう」といった容赦ない意見が出ていた。

「臭いぞ！　鼻が曲がりそうだ！　だが、それも我慢すれば耐えられる！　これぞ華麗《かれい》な圧倒的忍耐！」

いや、華麗じゃない！　泥臭い！　むしろカエル臭い！

「うりゃあ！　この台の上だな！」

怪盗キャンヘインは大理石の台にしがみついた。

で、足場になるところなどないので、すぐにずり落ちた。

その背中に魔法使いの攻撃魔法が飛んでくる。

火の玉がバシバシ怪盗に当たっている。

「はっはっは！　痛いぞ！　だが圧倒的忍耐で乗り越えられる！」

なんだ、この人！

また大理石の台に怪盗は跳びつく。

そして、すぐに落下する。

「ヌメヌメガエルの粘液で想像以上にすべる！　まったく登れん！」

「策士策に溺《おぼ》れすぎ！」

「アズサ様、策を弄してもないので、策士ではありませんね……」

「ライカの言うとおりだね。ということは……たんなる愚かな人なのか」

ライカが遠慮《えんりょ》がちに「そうかもしれません」とつぶやいた。

勝算もなくやってきたとしたら、お世辞《せじ》にも賢《かしこ》いとは表現できないだろう。

もっとも、ライカの表情はあきれているというより、深く同情しているというような印象があった。


それから先も怪盗は大理石から何度もすべり落ちた。

さらにどうにかそこそこ登れた時でも、冒険者の大男から引きはがされたりして、やり直しになった。

数えることもできないぐらいに失敗した。

それでも、そのダークエルフは大理石に飛びついて、無理矢理《むりやり》に盾の入った宝箱を目指《めざ》した。

「お、お宝は怪盗キャンへインがいただく……負けないぞ、屈しないぞ……」

いつのまにか、ギャラリーから「怪盗頑張れよー!」「ファイトー!」って声が混じりだした。

決して諦《あきら》めない怪盗に、一部の人が謎の感動を覚《おぼ》えはじめている!

「アズサ様、ハルカラさんには申し訳ないのですが、我もあの窃盗犯をわずかばかり応援したくなってきました……」

ライカ、ああいうひたむきな人には胸を打たれやすそうだもんな。

「別に応援したからってハルカラが文句《もんく》を言うことはないよ。いいんじゃない？」

ハルカラとしても、興行が盛り上がるのが一番なんだろう。

むしろ、盛り上げてくれている怪盗に感謝していると思う。

それはいいとして――


「やっていることはまったく怪盗的ではない」


怪盗って、人をあっと言わせる方法で宝を奪いとっていくものと考えていたが、ゴリ押しで突き進んでいる。

「せめてフックみたいなもので宝箱を引きずり下ろすぐらいのことはしたらいいのに……。何もかも地道にやりすぎ……」

「ふんぬ！　ふんぬ！　忍耐、忍耐！」

ついにダークエルフは宝箱の置かれた台の上まで登った。

観客から「おおっ！」という歓声が上がる。

そして、ダークエルフが宝箱に手をかけた途端――

結界の力で電撃が彼女の体に走った。

「びあああああ！」

ああ、今度こそ、おしまいかな……。

「大丈夫！　慣れれば血行がよくなる程度ですむううううう！」

全部我慢だけで押し通す気だな！

それと、あの宝箱、ふたの重量がものすごいから、開けるだけでも大変だぞ。

「むふーっ！　くおおおおっ！　くああああっ！」

また両手で強引《ごういん》にふたを開けようとしている！

ちょっとは知恵を使ってほしい。

「くそおおお！　ただの箱っ！　箱なら開けられるうううううう！」

ダークエルフの体に筋肉か血管かわからないけど、何か筋みたいなのが浮き上がっている。全力なのは確実だ。むしろ、この人が手を抜いていた時は今のところ見てない。

わずかに石のふたが開いた。

それで結界は破れたのか電撃のほうは止まった。

ダークエルフはその中に足をさっと入れた。

当然ながら足がはさまった。

「痛いいいいいいいい！」

「そりゃ、そうだよ！　もういいかげんやめたら？」

「と、特殊な訓練を受けていますううう！　見ている人は絶対に真似《まね》はしないでくださいいいいいい！」

「誰《だれ》もしないわ！」

そんなところで配慮を見せるな。

だが、足を入れたことで少しふたを浮かすことはできたせいか、ダークエルフはふたを押し開いた。

そして、ダークエルフは盾を掲げた。

壁みたいに分厚い盾を。

「はあ、はあ……見たか！　これで盾は手に入れたぞ！　怪盗キャンへイン万歳！」

掲げた途端よろけたが、たしかにつかんでいた。

私も、ライカも、ファルファとシャルシャも、地面に足を入れていたサンドラも、柱の中に入って霊的なものの干渉をチェックしていたロザリーも、あと、ハルカラも、みんなその様子を見つめていた。

よくわからないが、感動はした。

絶望的な戦いをこの人は勝ち抜いたのだ。

その時、ダークエルフに大きな影がかかった。

ダークエルフの肩を大きな爪《つめ》がガシッとつかんだ。

ドラゴン形態のフラットルテだった。

そういえば、フラットルテがいたんだった！　すっかり忘れてた……。

「よし、捕まえたのだ。とりあえず、どこか空き地に連行してやるのだ」

「うああああああ！　やめろおおおお！　盾は返さんぞおおおお！」

「面白《おもしろ》いので上から見物していたのだ。でも、アタシも仕事はしないといけないからな。お前に盗まれると、アタシの負けになっちゃうから容赦なくやるぞ」

「ふん、面白い！　やれるものならやってみろ！　でも、ここから落とされると死ぬから落とさないでくださいぃぃぃぃぃぃ！」

怪盗は高いところから落ちても無事そうだけど、このダークエルフはダメらしい。

やってたことに、怪盗要素はなかったからしょうがないな。

そのままダークエルフはフラットルテに連れ去られていった。

フラットルテにつかまれて、大空の彼方《かなた》に消えていくダークエルフに、どこからか拍手《はくしゅ》が送られだした。

「ナイスファイト！」「いいもの見たぞ！」「でも、怪盗じゃない！」

ライカもやけに強く拍手を送っていた。

「あの方に中途半端《ちゅうとはんぱ》な技術しかないのは明らかでした。それなのに、一途《いちず》な信念の下に盾を手にしました。想《おも》いは石にすら穴を空けることもあるのですね」

「そうだね。私も怪盗が盾を掲げた時は目頭が熱くなりかけたよ」

人が何かを成し遂げる姿を目にするのはいいものだ。

「──でも、フラットルテに連れていかれたけどね」

「………ですね」

盾を盗む作戦は失敗したと思う。

「え〜、お立ち会いの皆様、館長のハルカラです。ご覧のとおり、怪盗はこちらで連行いたしました。あとは当館で対応したいと思います。しかし、よい戦いを見せていただきました。最後に怪盗キャンヘインの名前を皆様で呼んで讃《たた》えてもらってもよろしいでしょうか？」

そのハルカラの粋《いき》なはからい（？）に会場の人たちもいいノリで応《こた》えた。

「キャンヘイン！」「キャンヘイン！」という声が暗くなりつつある町に響き渡った。

ところでフラットルテは怪盗をどこに連れていったんだろ……？
◇

フラットルテは高原の家のそばに生えている松の巨木に怪盗を縛りつけていた。

その松はミスジャンティーからもらった苗木を植えたら、すくすく育ったものだ。今では高原の家の目印みたいになっている。

松の精霊のミスジャンティーが「犯罪者を縛るような用途に使わないでほしいっス」と言っていたが、フラットルテは無視したらしい。

「この程度の縄、三時間もあれば脱出できるわ！　ふんぬっ！　ふんぬっ！　みずからの関節を外す！　……痛いっ！　関節がはずれて痛いっ！」

せめて一手先ぐらいは考えて行動してくれ！

まだ諦めてないいんだな……。ずっと木に縛り付けたくもないけど、縄を解くと脱走しようとするよね。早目に必要な情報を聞き出すか……。

尋問というか質問は、博物館の館長のハルカラが行うことにした。

ある種、家族の中で唯一の当事者なのだ。

「怪盗さん、正直に答えてくれたら、こっちも何かと大目に見ます。いいですね？」

「ああ！　怪盗キャンヘインはウソをつかない正直者だ！　現住所は王都の第八区花崗岩《かこうがん》ガーゴイル通りと鷹匠《たかじょう》通りの角にある四階建て集合住宅の二階の部屋だっ！」

いきなり住所言ってきた！

ハルカラが住所をメモしつつ、尋ねた。

「まず、なんで予告状を出してきたんです？　これまでやってなかったですよね？」

「いや、予告状は出したぞ。盗んだ後に報告の意味で出しただけだ」

聞いていた全員が、「それって予告とは言わない」と思ったはずだ。

「怪盗として次のステップに進むためには、あえて難しい試練を自分に課すことが必要だと考えた。そのため、事前に予告状を出して退路を断ったのだ！」

変なところで意識が高い。

いや、スタート地点が低すぎるだけなのか？　だんだん混乱してきた。

「じゃあ、次です。なんであんな価値の低い盾を盗もうとしたんですか？　うちの博物館、もっと高価で軽いものもたくさんありますよ。あの盾、分厚くて重いだけですよ」

そうそう、それが気になっていた。

この怪盗があのマコシア負けず嫌い侯の盾をターゲットにした理由がわからない。

「マコシア負けず嫌い侯のものを集めているからだ！」

まったく口ごもったりせずに話してくれるので、事情聴取は短時間で済みそうだけど、謎は深まっていく。

「へっ？　世の中にはそういうマニアもいるんですか？　歴史オタク的な人ですか？」

ダークエルフが目を見開いた。

「それは一族の恥を回収するためだ！　怪盗という道を選んだのもそのためよ！　あいつの恥をすべて集めて広まらないようにする！」

一族？　今、たしかに一族と言ったな。

「マコシア負けず嫌い侯はこの怪盗キャンへインの先祖よ！　ちょっとだがあいつの血が流れているっ！」

そんなつながりが！

シャルシャが分厚い歴史の本を月明かりの下で開いていた。

「マコシア負けず嫌い侯の息子のトイアバル強情侯《ごうじょうこう》は、ダークエルフの娘と結婚している。系図にはそう書いてある。そちらの一族はダークエルフの土地に移り住んだようだが、その末裔《まつえい》と思われる」

まさか、そういう裏があったとは……。

本当に血がつながっているかは別として（自分の先祖は偉い人だって誇る人はどこの世界にもいる）、このダークエルフがそう信じていることだけは確実なんだろう。


「ママ、このダークエルフさん、すっごく負けず嫌いだね」


あっ！　ファルファの言葉で線が一本につながった。

「どう考えてもマコシア負けず嫌い侯の血を受け継いでる！」

おそらく、負けず嫌い侯って人もこんな感じだったんだろうな……。

「わかりました。あなたの言葉を信じましょう」

ハルカラが深くうなずいた。

「さあ、話は終わりだ！　どこにでも突き出すがいい！　どんな頑丈な牢《ろう》に入っても、スプーンを使って穴を空けて脱獄してやる！」

この人だとマジでやりそう！

窃盗未遂の相手に悪い人じゃなさそうと言うのも何かおかしいが、いわゆる悪人ではないと思う。

ただし、博物館のものを盗もうとしたのは事実だ。その罰は牢にでも入ってもらうしかないのかな。刑期もそんなに長くはないだろうし。

――と、あの分厚い盾を持って、ライカがやってきた。

ハルカラがにっこり笑顔になってこう言った。


「怪盗さん、うちの博物館はこの盾をあなたに差し上げます」


「な、な……？　どういうことだ？」

怪盗もぽかんとした顔になっている。

「あなたのものである以上、盗難ではないということです」

ハルカラ、なかなか、かっこいい締め方をするじゃないか。

それなら、すべてが丸く収まりそうだし、後味も悪くない。

「むっ……そ、そうか……。この怪盗キャンヘインに盾をくれるのか。ありがたくいただいてやろう。――なお、後日、礼状は必ずお送りします」

よくわからんところで本当に義理堅い！

「で、では、この縄も解いてくれ。関節外しを失敗して腕がものすごく痛い……」

この人、一生懸命だけど、生きるのはとんでもなく下手だな……。

しかし、ハルカラとライカが顔を見合わせて、少し気まずそうな顔をした。

「我から話しますね。盾の件はハルカラさんの譲渡で解決としますが、あなた、過去にも窃盗を繰り返していますね。そちらのほうは刑に服してください。捕らえた以上、逃がすわけにはいきません」

ああ。そりゃ、怪盗だったら過去にも犯罪をやってるよね……。

「何事にも諦めないあなたなら、刑期を終えてから、また更生して立派に第二の人生を生きていけるでしょう」

難しいところだけど、仕方がないか……。

私たちが勝手に匿《かくま》ったら、私たちのほうが犯罪者になっちゃうし。

「ならば、問題はない。たしかに余は過去に窃盗をしたことがある。だが、しかーし！　刑に服する必要はない！」

なんか、調子のいいことを言い出したぞ！

「怪盗さん、居直りはやめてください。悪いことをした以上は、その罪相当の罰は受けてもらわないといけません。我にあなたを尊敬させてください」

ライカは諦めないという点において、この怪盗を認めたのだ。

だからこそ失望したくはないのだろう。

「何を言うか！　刑に服する必要がないことは客観的事実！　信じられぬなら、詳しい者を呼んで確認してみよ！」

しかし、怪盗もふざけて言っている様子はない。

「余の罪はすべて時効になっている！」

そういうことか！

「なるほど……。時効ならば、罪にもなりませんが……」

ライカもかなり困惑している。こんなタイプの人、周りにあんまりいないもんね。

「仕事にとりかかるのは以前の盗みが時効になってからだ！　それまではじっと待つ！　エルフの血を引く余だからこそできること！」


セコい！　あまりにもセコい！


「余が財布を盗んだ老紳士とは、それからもそのご家族ぐるみでお付き合いさせていただいていた！」

「もう、ただの財布を届けた親切な人じゃん！　向こうの家族もそういう認識してるじゃん！」

そのあと、冒険者ギルドのナタリーさんに確認をしてもらったところ、事件はキャンヘインの言うとおり、すべて時効になっていた。

世の中にはいろんな生き方があるんだなと思いました。

◇

それからしばらくの間、怪盗キャンヘインは高原の家で働いていた。

畑を耕す仕事だ。我が家には菜園もあるので、そこを耕している。

といっても、私たちが無理矢理に働かせたわけじゃない。

キャンヘインいわく、「受けた恩は返すのが筋というものよ。それが人として当然のこと」ということらしい。

じゃあ、泥棒をするのも人としてダメなのではと思うけど、世界には英雄扱いの泥棒はたくさんいるので、おそらく両立するのだろう。

本音を言うと、うちはドラゴンが二人もいるから畑を耕すのなんてあっという間にできるんだけど、そこはキャンヘインのやる気を尊重したい。

それに異様に一生懸命なキャンヘインからライカも何か得るものがあったらしく、感化されていた。

「耕す！　耕す！　耕す！　その時、これだけ耕したからきっといい野菜が育つなどとは考えてはいけない！　そういう打算があると裏切られる！　ただ、耕すべきだから耕したという気持ちでいることが大切なのだ」

「わかります！　対価を気にしてばかりいては修行になりませんからね！」

はっきり言って、キャンヘインの生き方はあまりにも極端なので、そんなに真似しろとは思わないけど、真剣なところは否定《ひてい》しなくてもいいだろう。

そして、よく晴れた日の朝。

キャンヘインは荷物を担《かつ》いで高原の家を出ることになった。

「キャンヘインさん、もう、悪いことはやめてまっとうに生きてくださいね」

ライカが改めて、あの盾を手渡した。

「それはできんかもしれんな。怪盗を通して、子供たちに夢を与えたいからな」

理想がやけに高い！

子供に夢を与えるつもりなら、もうちょっと華麗な技術を身につけてほしい。泥臭いままだと、あこがれづらいと思う。

「次に会った時は、お前たちの心を盗めるような立派な怪盗になりたいものだ」

無駄《むだ》に臭いセリフだな！

「怪盗さん、負けず嫌い侯関連の美術品や資料でしたら、うちの博物館の美術品購入予定費で全部買えると思うんで、あげますよ？　それぐらいは余裕で稼がせてもらいましたし」

ハルカラとしては収支の面では大勝利だしね。今回、最大の勝利者と言っていい。

「それだと人生の大きな目標が消えてしまうので、気持ちだけもらっておく！　あくまでも余の努力で勝ち取らねばならんのだ！」

「怪盗さん、自分に酔いすぎですよ。でも、酔うのは楽しいですもんね。やめられないですよね。へっへっへ」

ハルカラがなんか気持ち悪い笑い方をした。

「では、さらばだ！」

キャンヘインは手をぶんぶん振った。

私たちも怪盗に手を振った。

ファルファとシャルシャも「またねー！」『よい旅を』と元気に手を振っていた。

「うっ！　振りすぎて肩の関節が外れたっ！」

縄抜けを試《こころ》みた時に外したせいだな！

しばらく後、干しフルーツの詰《つ》め合わせの箱がキャンヘイン名義で届いた。

添《そ》え状にはこう書いてあった。

格別のご厚情を賜りましたこと、
まことに感謝いたしております。
つまらないものですが、
お受け取りください。

怪盗キャンヘイン

「やっぱり、義理堅い、いい人！」

人生には様々な生き方があると学ばされた一件でした。

終わり

レッドドラゴン女学院
Red Dragon Women's Academy
スライム倒して300年、
知らないうちにレベルMAXになってました
—スピンオフ—
Morita Kisetsu
森田季節
illust. 紅緒

「お気持ちはありがたいのですが、我《われ》は妹を増やすつもりはありませんので」

我はリボンが印象的な新入生のその方に、丁寧《ていねい》に頭を下げました。

その方は我が断っても、「お願いします」だとか「先輩の妹として尽くします」だとかいった言葉を続けました。その言葉が必死だからこそ、我は余計に申し訳なくなりました。

「あなたのようなお誘《さそ》いは何度か受けました。我はその都度《つど》断りました。だからこそ、あなただけ、受け入れるということはできないのです」

その断る理由はまっとうなものでしたが、まっとうなものだけにかえってすまない気持ちもありました。目の前の方の誠意だとかは関係なしの事務的な理由で断っているということになるからです。だからといって、今までの方と比べてその方が最も頼りになるだとか、誠実だとかといったことはもちろん我にはわからないので、選べないことには違いないのですが。

五分ほどの進展のない問答のあと、その方のお友達らしき方が出てきて、彼女にハンカチを差し出しました。

我が知らないうちにその方は泣いていたようです。

そのお友達は我に「ライカ先輩、ご迷惑をおかけしました」と丁重《ていちょう》におじぎをしたあと、泣いている方に慰めの言葉をかけながら、去っていきました。

「……疲れました。百戦連続の組み手をしたぐらいに疲れました」

我はふらふらとすぐ後ろにあった花壇《かだん》のレンガに腰かけました。

と、庭園の低木の横から、さっとヒアリスさんが出てきます。

そこに隠《かく》れていることは、とっくに察知していました。

「姉者、大変でしたね。はい、新発売の塩クロワッサンです」

「いつもありがとうございます。おっ、塩がかえってバターの甘みを引き出していますね」

いただいたパンを食べると、ちょっと気分が持ち直しました。

「それにしても新一年生に大人気ですね、ライ、カ、先、輩、は」

今、わざと、ライカ先輩と強調しましたね。

「挑戦が学校の校訓とはいえ、挑まれるほうも大変です……」


月日が過ぎるのは早いもので、我は二年生になっていました。


その過程で、六年生は卒業していくわけですが、生徒会には六年生の方がほぼ在籍していなかったのもあり、そちらのほうで我に直接関《かか》わってくる問題は何もありませんでした。

一方、去っていく方々があれば新たに入ってくる方もいるわけで、初々しい一年生たちがこの女学院にやってきたのです。

そこで二年生になった我を待っていたのは――妹にしてくださいというオファーの数々でした……。

「先ほどの方で、十四人目ですよ……。皆さん、我しか二年生はいないと思っているのではありませんか？　だいたい上級生は二年生だけではないですし。もっと多様な選択肢を考慮するべきです」

ヒアリスさんは我の横に腰かけて、元気を出せと示すように背中に温かい手を置きました。レッドドラゴンの手はだいたい温かいのです。

「姉者、それは当然ですよ。姉者は二年生唯一の生徒会役員として一年生の前に説明役として出ることも多いですし――しかも姉者は姉者なのですから」

「後半のは何の理由にもなっていません」

「あと、三年生以上の上級生はすでに年下の妹がいるケースが多いですから。一年生も最初から諦《あきら》めがちなのでしょう。となれば、年下の妹がいないはずの二年生を狙《ねら》うんですよ」

「論はわかりますが、同じ二年生なのに妹を名乗ってるヒアリスさんが言うと説得力がないです」

「強い者の下について、修行するのは普通なことでしょう？」

成績は我のほうがいいはずですが、話をするとほぼ我が言い負《ま》かされます。ヒアリスさんいわく、我の欠点は正直すぎることだそうです。でも、その時も続けて、我の美徳は正直すぎることだと話していたので、どっちなのかという気もします。

「でも、部活動もあることですし、部活動の先輩の妹分にでもなればいいんじゃないでしょうか」

「一時的に修行同好会に所属して以降、無所属の姉者が言っても説得力がありませんよ」

うっ……。やはり、言い負かされています。

「それに、わたくしの幽霊《ゆうれい》研究部みたいに、先輩が強いとは限らない部も多いですしね」

「そういえば、そんな部に所属されてましたね」

「幽霊研究部は個人プレーが基本です。悪霊が出るという廃屋に一人で入っていって、三週間も戻ってきてない先輩もいます」

「それは捜索隊でも送らないと危険なのでは」

「人間ならともかく、わたくしたちドラゴンを呪《のろ》い殺せる悪霊なんていませんよ。それだけ徹底調査をしてるんでしょう。そのうち、ふらっと帰ってきます」

やはりドラゴン。文化部でも内容がハードなようです。

それはそれとして――

「どうせなら、さっきも隠れていずに自分が我の妹だから、定員オーバーだとでも言ってくればよかったんです。それなら話が早く収まったかもしれません」

「姉者、それ本気で言っていますか？」

ヒアリスさんは心底あきれたという顔をしていました。

「そんなことをすれば、さっきの子もわたくしに妹分の座を懸けて勝負しろなどと言ってくるに決まっています。女学院に入ってきた時点で、腕にそれなりの自信はある方ばかりでしょうし。そしたら、話はいよいよややこしくなりますよ」

「そ、そうでしたね……、レッドドラゴン女学院を舐《な》めていました……」

女学院では休み時間や放課後に至るところで勝負が行われています。

美しさと力、どちらも磨きをかけるのがこの女学院のあり方だからで——

「——そう、自分の意志は力で通す。それができないならその程度の意志ということね」

突然、我たちの前にリクキューエンさんが立っていました。

我は少しパンがノドにつかえてむせました。

「先輩、前触れなく出てくるのはやめてください。アサシンではないんですから……」

「上司の書記が一年生と話をしているから何かと思ったの」

たしかに上司は我ですが、どうにもやりづらいです。

ちなみにヒアリスさんはリクキューエンさんを見て、ふるえていました。たしかに生徒会役員がすぐそばにいれば、恐怖のようなものを感じますよね。幽霊より怖いと思います。

「あと、せっかくだし上司に話しておこうと思って。今年の一年生に異質なのが混じってる」

彼女は鋭い目をして、周囲を見やっていました。

監視でしょうか。たしかに我も気を抜いていましたが、いくら戦闘が多いとはいえ、女学院での闇討《やみう》ちは校則違反です。対戦は申し込みが義務づけられています。

ただ、リクキューエンさんが声を潜《ひそ》めたので、話を聞かれたくないからだとわかりました。

「新一年生の中に、上級生と勝負をし、次々とバッジを奪っている者がいる」

リクキューエンさんは自身のバッジを手でつかみました。

「なっ！　そんな方が！」

上級生と勝負をして、勝利の印にそのバッジを頂戴《ちょうだい》する――それは昔から女学院で独立不羈《ふき》の心を示す下級生がやってきたことです。

ただ、そう簡単なことではありません。

上級生と下級生の間には、とくに一年生とその上の間には、大きな実力的隔《へだ》たりがあります。それができた生徒はほとんどいないのです。

やれたとしても、当然上級生からも目をつけられますから、いずれつぶされる。そうなれば、バッジは元の持ち主のところに戻り、下級生は場合によっては負けた相手の妹にされます。

成功例は、バッジ狩りを繰り返し、そのまま生徒会長にまでのし上がった姉さんぐらい……。

「女学院に動揺が広がるから、おおやけに発表はしていないけれど、恐るべき一年生が混じっているのはほぼ確実。上司は一年生に顔も覚《おぼ》えられている立場だろうから、気をつけたほうがいい」

上司という表現、イヤガラセで意図的に使っている気がします。

この方の真面目《まじめ》なところは我と近いはずなのに、なぜか打ち解けづらいのです。でも、我みたいな方が部下にいても、打ち解けられない気もしますね……。

そういえば、ありがたいことに慕ってくれる方は同じ学年にもたくさんいますし、ブルードラゴンを遠足中に撃退してからはさらに評価が高まった気がしますが……その分、友達というより仰《あお》ぎ見る存在にされているような……。

打ち解けるというのは難しいものです。体を鍛えるよりずっと難しいかもしれません。

つぅっと、リクキューエンさんの目がヒアリスさんに向きました。

「ヒアリスさんだったかしら？」

「は、はい！　わたくし、肉体破壊のヒアリスと申します……。な、何か……？」

完璧《かんぺき》に怯《おび》えてますね、ヒアリスさん。

「自分は生徒会の副書記としてライカ書記を支える。でも、心のほうを支えるのは妹分のあなたの仕事。これからも頑張って」

そして、すっと手を伸ばしました。

どういうことかヒアリスさんもわからず戸惑《とまど》っていたようですが、

「握手」

そのようにリクキューエンさんに言われて、恐る恐るヒアリスさんもその手をつかんで、握手をしました。

「この上司はとても感情に左右されるタチで、百の力を出せる時もあれば、三十程度の力しか出ない時もある。よく支えてあげて」

「わわわわかりました！　しっかりやります！　せせせ生徒会の方から声をかけていただいて光栄です！」

ああ、生徒会役員って特別な存在だな、と改めて思い出しました。

それから、リクキューエンさんはちらっと我にも目を合わせました。

その口元がかすかにゆるんだ気もしました。

「それじゃ」

もう彼女はどこかに行っていました。本当に高速ですね。

◇

上級生バッジを奪いまくる一年生。

そんな、どこか伝説めいた話を我は頭に思い浮かべて帰路《きろ》につきました。

生徒会活動をしたあとなので、下校時間も遅く、人の姿はまばらです。

下級生のクラス名簿《めいぼ》をチェックすればわかるでしょうか？　いえ、そんな秘密を探るようなやり方はよくないですし、名簿に戦績までは書いてないでしょう。

案外、バッジを奪いまくっているのなら、その現場を見ることもあるかも――

それは帰路の中でも、とくに人気《ひとけ》のない荒野でした。

女学院の制服を着た女性を、同じく女学院の制服の女性たちが囲んでいます。

これは女学院の敷地外での私刑！

それはれっきとした校則違反でした。敵に襲われただとかいったやむをえない場合を除き、女学院の外で対戦を行うことは固く禁じられています。女学院の生徒同士の戦いは、周囲の環境にも大きな影響を与えるからです。

まして、一対多というのが異様です。

たしかに双方の同意があれば、一対多でも二対二でも対戦は可能です。しかし、多くの場合、一人を多数が囲むというのは卑怯《ひきょう》な振る舞いの空気があります。

そして、女学院の生徒が一人を取り囲んで倒すなどということは、停学処分を喰《く》らってもしょうがないほどの悪徳です。

ですが状況を確認しないまま突っ込むのも戒められています。レッドドラゴンの介入《かいにゅう》はしばしば事を大きくしますし、両者の間で受諾《じゅだく》された戦いなら、横槍《よこやり》を入れて中断させるのは校則違反だとしてもやりづらいです。

「コトールさんはあなたにバッジを取られたのよ！」「びっくりするぐらい憔悴《しょうすい》してたわ」「許せない！　上級生の怖さを思い知らせてやる！」「バッジ狩りも今日でおしまいよ！」

まさか、バッジ狩りの一年生を見つけての私刑ですか！

これは止めなければ！

生徒会役員の責務だとか以前に下級生を守らないと！

ですが、我が止めに入る前に勝負ははじまってしまい――

しかも、終わったも同然の状態になっていました。

下級生のほうはあまりにも落ち着いた動きで、上級生の攻撃をするするとすり抜けていきます。

挙句、敵の勢いを使って放り投げていく始末。

武術に素養のある者が数秒観察すれば、加勢の意味もないほど一年生が敵を圧倒していることがすぐわかりました。我も介入をやめました。

我がなかば見とれているうちに上級生は四人全員が地面に倒れ込んで、肩で息をしていました。

下級生はそんな戦闘不能の上級生の制服から平然とバッジを引きちぎっていきます。

なんという強さ！

かといって、力がみなぎっているというのも違う。それは枯れた強さとでも言うべきものでした。世のすべてを知り尽くして、山に籠《こ》もった賢人のような、浮世離れした落ち着き方をしています。

ふと、我はとある女性を思い出しました。


かつて我が師事《しじ》したショートカット先輩。


あの方と現実に戦ったことはありませんし、戦いを見たこともありませんが、もし実戦をすればこのような戦いになるのではないでしょうか。動きの一つ一つにショートカット先輩らしさが漂《ただよ》っています。

――いや、そんな空気をまったくの別人がまとえるでしょうか？

そういえば、その下級生の髪型もショートカット……。

「脆《もろ》いのである。力だけを信じて甘えた結果がこの脆さ」

その声で、疑念は確信に変わりました。

「ショートカット先輩ですね！」

我が叫《さけ》んだのと、最後の一人が蹴《け》り倒されたのとが同時でした。

そして、こちらに顔を向けた下級生のその顔は——

紛《まぎ》れもなくショートカット先輩でした。

「ああ、ライカか。そなたが生徒会にいることも知っておる。でも、今の私はショートカット後輩、であるが。自分の修行の成果を試すため、女学院に入学してみることにした。レッドドラゴンで最強の者たちはここに集まっているというからな」

驚くべきことを、ごく簡単に彼女は言いました。

「今のところ、結果はまずまず。手にした上級生のバッジは十六……いや今、四つが加わって二十か」

わかってはいたことですが、この人はとことん強い。

しかも、ただ力が大きいだけとは違う、しなやかな強さなのです。長年使われた木製品にかえって光沢が宿るような、時と共に培われた強さなのです。

そして、また何でもないことのように我にこう言いました。

「少し予定より早いが、いつかやろうと決めていた。ライカ、現実でも私と戦ってみよ」

闘争心などまったく感じないのに、異様な存在感が彼女からあふれています。

「前はイメージの中だけでの戦いであったし、私も師としてどうしても受け身になっていたきらいもあるからな。あの時の私よりは百倍ほど強くなった」

その言葉も別にはったりではないのでしょう。


「ライカ、生徒会書記四天王の一人として、この私を負かしてみよ。次の朝礼の時にでも勝負を申し込むとする」


まさか、こんなふうにバッジ狩りの本人から勝負を挑まれることになるとは。

「それで生徒会とやらの実力もおおかたわかるし、おぬしも今の私の実力がわかろう」

この方の目的は自分の強さを知ることなのです。だとしたら、我を指名するのも理にかなっています。

我は女学院の頂点と言われる、生徒会の末席にいるのですから。

でも、ほかの理由が考えられないこともありませんでした。

「勝負はお受けしますが、ショートカット先輩は生徒会という組織を解体したいのですか？」

人からすれば、レイラという悪の生徒会長が牛耳る組織に見えるのかも。

ですが、彼女は「だから、ショートカット後輩だ」と訂正してから、こう言いました。

「そんなことに興味はない。私にとっては切実なことでも、他人から見れば戯《たわむ》れも同じよ。毛糸の玉にじゃれる猫のようなものだ。だから、かつて弟子のようなものだったそなたと戦いたいという気持ちもある」

我にとっては、とても戯れでは済まされない戦いになるんですがね。

まったく、ちょっと前までは下級生に注目されて困っていたというのに。

これで負けたら、我にあこがれる人もいなくなるでしょうね。無様な敗者の烙印《らくいん》を押されることになるのですから。案外、負けるとちょうどいいのかもしれません。

――もっとも、我も成長を実感するためには、この人に勝つ必要があります。

「ショートカット先輩、あなたの名前は何ですか？」

「ノエナーレ」

その人は初めて名前を教えてくれました。

◇

ノエナーレさんは約束どおり、次の朝礼の生徒会役員による報告の時に、一年生の列から前に出てきました。

当然、ざわめきが起こる中で、彼女はすでに二十人の上級生のバッジを奪ってきたことを多数のバッジが入った袋で示し、それから生徒会で最も若年《じゃくねん》の我と戦いたい旨《むね》を告げました。

ノエナーレという異質の一年生に対する嫌悪感と期待感が入り混じった空気が、その場を包んでいました。

会長が我のほうをちらりと見ました。会長のくせにトラブルの大好きなこの人はとても楽しそうな顔をしています。

「どう？　ライカ、やれる？」

「やれます。逃げるわけにはいかないですし。そんなことをすれば生徒会の信頼も地に落ちます。今後の生徒会の運営にも支障をきたすでしょう」

正式に勝負を挑まれた以上、正当な理由もないのに断るのは恥です。

「そういうことを言っているんじゃないって。私が聞いてるのは――あの一年生に勝てるかってこと」

姉さんはにやにやと我の顔をうかがっています。

おそらく、我が困った顔をすればするほど喜ぶでしょう。

姉さんらしいですね。我も場違いにも笑ってしまいそうになりました。

「勝ちますよ、必ず」

「うん、その言葉が聞きたかった。まっ、フラットルテに一度勝ったらしいし、いけるでしょ。あの子は日によってコンディションに波があるから、どんな時のフラットルテかにもよるけどね」

「我のように精神的な動揺が大きいということですか？」

リクキューエンさんにも以前にそんなことを指摘されました。

「ううん、おなかを壊してる時でもケンカ売ってきたりするから。その時はクソザコよ」

それはただのバカですね……。

もう、姉さんはノエナーレさんのほうに顔を向けています。

「書記はやると言っています。対戦は次の朝礼の時、この講堂でということにしたいのだけど、異論はない？」

「それでけっこう」

ノエナーレさんは会長に対しても物怖《ものお》じせずに答えました。

こうして、最強の一年生と我とによる対戦が正式に決まったのでした。

◇

その日の放課後、我は仕事で生徒会室に寄る前に、あの洞窟《どうくつ》に向かいました。

もちろん、我が修行同好会に入っていた時に使っていた洞窟です。

ノエナーレさんが足を組んで、座っていました。

「やっぱり、ここを使っているんですね」

「やけに荒れていた。そなたは使っていなかったのだな」

「場所にこだわるべきではない。むしろ、多くの人に交《まじ》わって強くなるべきだと我は学びました」

「うむ。真理の道が一本でないといけない理由はない。そなたはそなたで真理を目指《めざ》せばよい」

この何年間もずっとここで修行同好会を続けていたみたいに、我と彼女は話していました。

「試合が決まって、もっと不安な顔でいると思っていたが、そんなこともないのだな」

「クラスでは大変でしたよ。ヒアリスさんという妹分の方に強く心配されました」

築《きず》いてきたものを失うかもしれないのに、我の心は凪《な》いだ海のように穏やかでした。本音を言えばうれしくさえあります。

「ガチでショートカット先輩と戦ってみたかったですから」

「だから、ショートカット後輩だ」

「いや、その呼び方、不自然で言いづらいですよ……」

「私もそなたがどう変わったか見てやりたかった」

もう話すべきことも話しましたね。普通の生徒なら、どうしてこのタイミングで入学したのかとか、実年齢は何歳ぐらいなのかとか、いろいろ聞きたくなるのかもしれませんが、我にはどうでもいいことです。

「お互い、ベストを尽くしましょう」

我は静かに洞窟を去りました。

もう、ここに来ることもないかもしれませんね。

◇

その日から対戦の日まで、我はこれといって特別なトレーニングも準備もしませんでした。日課にしていた基礎運動などを続けただけです。

生徒会活動も休まずにやっていたので、放課後になると、ちゃんと生徒会室に行きました。

その日は来るのが早かったせいか、リクキューエンさんだけが座っていました。

「あなた、リラックスとだらけることは違うの」

リクキューエンさんにまた小言《こごと》を言われました。

我はそのたびに、どうせ付け焼き刃の特訓でどうにかなる相手ではないし、日々の繰り返しのほうが大事だと話します。そんなやりとりが数回続いていましたし、その時も我は同じようなことを言いました。

「それはわかる……。でも、あなたみたいな清々《せいせい》した態度で、その実、諦《あきら》めていただけの生徒もたくさん見てきたから……」

リクキューエンさんの気持ちも胸にしみました。我自身も今の心境とヤケになっていることとの区別がよくついてはいませんでしたし。周囲を不安にさせてしまうのも、しょうがないことでしょう。

生徒会の仕事をしようと自分の席につきました。

そこを後ろからリクキューエンさんに抱き締められました。

「あなたが負けて、生徒会を辞めてしまうような気がして怖い。眠れない」

そのまま、リクキューエン先輩は言葉を続けます。

「これは生徒会が受けた挑戦。あなたがすべてを背負う必要はない。責任なら感じなくていい」

おかしな感想かもしれませんが、先輩の温かい言葉を聞けて、我はとてもうれしかったです。そこには我を案じる意味以外の何物もありませんでした。

「我は勝ちます。それと生徒会も辞めませんよ。これは選挙戦ではないですから。せいぜい、負けてもバッジを取られるだけでしょう。バッジが消えようと生徒会役員の資格を失うわけでもありません」

「……うん、信じてる」

信じてると言う割には表情がかんばしくないですが。

「あなたを平気で送り出せない……。これが自分の弱さなのかな」

「我はそれを弱さじゃなくて、優しさだと解釈しますよ」

小柄な先輩はしばらく、後ろから我に手を伸ばしたままでいました。

◇

講堂はすっかり生徒で埋《う》まっていました。いえ、それは正確ではありませんね。教師の皆さんの顔も何人も見えました。

中には、「今の生徒会長以来の事件になるかも……」だなんてことを言っている教師の方もいました。そういえば、姉さんが上級生を次々と破って、生徒会長にまでのし上がったことの焼き直しを今のノエナーレさんはやっているのですね。

もっとも、ノエナーレさんが生徒会長だなんてものをやろうとは絶対に考えていないでしょうが。仮に就任したとしても、一時間後には辞任して、退学することだってありえます。

挑戦者側のノエナーレさんはすでに講堂の中央に設けられた舞台で待っています。

その袖《そで》は対戦のためにか、強引《ごういん》にまくられていました。あまり見た目は美しくありませんが、ノエナーレさんにそんな注意をしたところで鼻で笑われてしまうでしょう。

我はすたすたと彼女の前に向かいます。

応援の声も聞こえましたが、どちらかというと成り行きを固唾《かたず》を呑《の》んで見守っているという方が多いようです。これを女学院の秩序に対して行われる戦いだと思っている人もいるのです。

生徒会の役員は多くの生徒から恐れられつつも、女学院を守ってきましたからね。

もっとも、その心配は杞憂《きゆう》ですよ。姉さんは何十年か前の革命家だったはずですが、今、彼女の作るその秩序に違和感を持っている方はいないはず。どうせ慣れてしまうのです。

あと、我は秩序だとか、そんなものはどうでもいい。

ノエナーレさんと戦いたい。思う存分、戦いたい。

「やけに楽しそうな顔で来たな」

ノエナーレさんが硬い表情のまま言いました。

「ええ。我はショートカット先輩が戻ってきてくれてうれしいんです」

「だから、ショートカット後輩だ」

向かい合って、二言三言話すと、審判の教師の方が出てきて、お決まりのルール説明をします。炎は禁止。ドラゴンの姿になるのも禁止。どちらかが負けを認めるか、意識を失うかまでの時間無制限バトル。

それでは勝負開始！

開始と同時に我は——目を閉じました。

きっとノエナーレさんも同じことをしたでしょう。「どっちも目をつぶった！」なんて驚きの声が聞こえたからです。

ただ、勝負は問題なく行われているはず。相手がどこにいて、どこを狙《ねら》っているか、お互いにわかりますから。時折やってくる、ノエナーレさんの攻撃による痛みも場所を把握するよすがになります。

しかし、目を閉じたのには意味があります。

我もノエナーレさんも実戦と同時に——
イメージの中でも戦っているから！

目を閉じた先に見えるのは闇ではなく、武道場に立つ我とノエナーレさん。

これは我とノエナーレさんしか知らないでしょう。

我とノエナーレさんの間でしかできないでしょう。

イメージの中での戦いを師匠に教えてもらいましたからね！

つまり、今の我々は現実とイメージの二箇所で同時に戦っているのです。

「まさか、この境地にまで達しているとは思わなかったぞ」

これはイメージの中でのノエナーレさんの言葉です。

「あなたが去ってからも修練を続けましたから。ですが、あなた以外の多くの方からも、大切なことを学びました」

「女学院の馴《な》れ合いの中では限界がある」

「そんなことはありません。人との関わりの中で得られるものがある、あなたもそれを感じたからこそ、ここに戻ってきたのでしょう？」

我の耳に現実世界の歓声が聞こえてきます。

「すごい！　目を閉じてるのに完全な戦闘として成立してる！」「動きも把握できないほど速いですわ！」

そうなのでしょう。我の力も入学当初と比べると着実についてきました。我の戦闘を見て、多くの方が驚嘆《きょうたん》するのもわかります。

我が現実でキックをノエナーレさんに放っている時、イメージの中の我はノエナーレさんのパンチを腕でガードしている。

世界初の夢と現《うつつ》の同時対戦！

いや、まだ我は現実のほうに引っ張られていますね。

もっと、自由にやれるはず！

イメージの側の我をドラゴン形態に変身させます。

講堂での戦いで姿をドラゴンにしたら反則《はんそく》ですが、こちらならどの姿で戦おうと自由ですからね。何の制限もありません。

「ふむ。ならば私も」

ノエナーレさんもドラゴン形態になります。

そのまま巨大生物同士、乱れ合う。

人の姿の時と要領は異《こと》なりますから、イメージするのも大変ですが、まさかその程度のことで「処理落ち」することはありません。さんざん、イメージトレーニングを繰り返してきました。

研《と》ぎ澄まされたイメージは現実の面にも有意に作用する。

このことは人間の学者も述べていることです。

ポジティブなイメージは魔法のように現実をよりよい方向に動かす。

ならば、イメージ上での戦局もまた現実の戦いに波及する！

我は肉体を実際に動かしつつ、イメージの中で炎を吐《は》き、ドラゴンの爪《つめ》でノエナーレさんを引っ掻《か》きました。

そこには確かな熱も痛みも音もすべてがある。

現実とイメージというより、現実が二種類あると言ったほうが正しいでしょう。

「まるで……鏡であるな」

激しい呼吸のまま、ドラゴンの姿のノエナーレさんは切れ切れにつぶやきます。

その声には満ち足りたものが感じられました。

「この戦いはまさしく悟《さと》りの成果。ここまで私の理想を体現した者と戦えるとは……。それだけでも女学院に入学した価値がある」

「師匠のお褒《ほ》めの言葉、ありがたいです」

「しかし、そろそろ終わりにするぞ。そなたを倒さないと、私はさらに先へと進めぬ」

巨体のレッドドラゴンはこれまでにない勢いで向かってきます。

ですね。修行に終わりなどありませんから。

我も恩返しをさせていただきます。

ノエナーレさん、あなたを超える！

師匠のイメージ上のドラゴンが我に迫る瞬間――我のドラゴンの姿は何倍も大きなものに膨れ上がりました。

そう、ここはイメージ。

サイズにとらわれなくてもいい。相手を踏みつぶせるほどの姿になることもできる。

我々は誰《だれ》しも枷《かせ》にはめられています。

その枷は自分の貧困な想像力と、すぐに不可能と諦めてしまう弱い意志力によってできている。

それを取り払った時、イメージ上の戦闘力は無限になる！

ドラゴンのノエナーレさんは、我を見上げています。その姿は我の陰《かげ》に隠れて暗くなっていました。

そして、彼女はゆっくりとうなずきました。

「見事なり。ライカよ、私よりはるかに大きく悟ったな！」

我もうなずいて、イメージの中でドラゴンの師匠を思いきり踏みつぶしました。

——同時に、現実でも決着していました。

我とノエナーレさんが走り込みながら放った渾身《こんしん》の拳《こぶし》は、我のほうだけが相手の顔をとらえていたのです。

会心の一撃が決まった。

我は自信を持って、その時、瞳《ひとみ》を開きました。

ノエナーレさんが勢いよく吹き飛んで、床をこすりながら止まったのが視界に入っていました。

審判の先生が試合終了を宣言しました。

我はやるべきことをやれたようです。

◇

……もっとも、勝利には副作用もありました。

校門をくぐった途端、我は何十人もの生徒に囲まれました。

「弟子にしてください！」「水汲《く》みでも掃除でも洗濯でも何でもします！」「横で見学させてもらうだけでもいいんで！」

断るにしても数が多いですね……。しかも上級生の方もそこそこいるじゃないですか。上級生を妹分にはできませんよ……。

「姉者、自業自得《じごうじとく》ですよ。全校生徒の前で、目を閉じたままの対戦だなんて前代未聞のことをして、それに勝利したのだから人気も出ます」

もはやヒアリスさんも擁護してくれないらしく、一人でパンをかじっています。

その場にいきなり、怖い目をしたリクキューエンさんがやってきて、

「生徒の迷惑になることはしない！　節度と礼節を守るようにしなさい！」

と集まった人たちを散らしてくれなかったら、教室にたどりつくだけでも苦労したはずです。

龍速《りゅうそく》と言われるだけあってこの方は突如出てきて、我を助けてくれます。

「ありがとうございます。あの試合から二週間も経《た》つのになかなか熱が冷めないものですね」

「もう少しの辛抱ね。あと、ライカ……」

リクキューエンさんの強気な目が弱々しいものになりました。

「前は生徒会を辞めそうだとか、負けそうだとか変なことを言って悪かった……。あなたはそんな弱いドラゴンじゃなかった」

あの時のリクキューエンさんは、ある種、我以上に思い詰めていましたからね。

「我は師匠と戦うのが楽しみだった、それだけですよ。心配してくれてありがとうございました」

形式的とはいえ、部下に心配される上司というのは悪くないものです。これからも支えてください。

「それに、あの人が入学して、女学院もいい刺激になっているようですし」

庭園の中央にある炎の柱の前では、ノエナーレさんとその新たな弟子たちが朝から腕を使わない腕立て伏せや超ゆっくり腹筋などの筋トレをしていました。

修行同好会も十人以上の大所帯となり、学校公認の同好会となったそうです。

我も同好会の元メンバーとして、精進していかないといけませんね。

ノエナーレさんの前を通る時、彼女の口からこんな言葉が漏《も》れました。

「ライカよ、私はそなたの妹になったつもりで修行をしている」

「我なんかを姉にしてもしょうがないですよ。ほかを当たってください」

かつて、我が断られたのと同じような言葉で、我はノエナーレさんの妹にしてくれという願いを断りました。

今ならよくわかります。生半可な気持ちでは妹など作れないですし、まして相手の才能と精神を尊敬していれば、なかなか妹になどできません。我の場合、生半可な入学当日に妹ができてしまいましたが……後になって取り消せませんしね……。

「だから、妹になったつもりなだけだ。イメージの中では、そなたは私の姉だ」

「イメージって……そんなのアリですか？」

ですが、ノエナーレさんは平然としていました。

「うむ。今もイメージの中で入浴中だ。ちょうど、そなたの背中を洗っている」

「そこまでしなくていいです！」

ノエナーレさんが正しい方向に悟ったのか、少し不安になってきました……。

至るところから火山ガスの熱風が噴《ふ》き出ているので、そう気温も低くならないとはいえ、冬はレッドドラゴンの住むロッコー火山のあたりを確実に冷やしていきます。

レッドドラゴンは寒いのが好きではない民族性なので、この時期は家族揃《そろ》って火山の中にある温泉街に行って、温泉を楽しむところも多いです。

かく言う我《われ》も冬休みは、家族でロッコー火山の親戚が経営している旅館でゆっくり過ごしました。どうせ、ドラゴンの姿になって飛べば、すぐに家のほうにも戻れますから、ちょっとした別荘のような感覚です。

冬休みが来れば家族で温泉に行く、それが我の家族のサイクルで、それはよほどのことがない限り変更になることもありませんでした。温泉街は、ひっそりした小道の先に何があるのかまですっかり知り尽くしてしまっているほどです。

ですが、その年に限っては、温泉のほうは変わらずとも、我の心はそうはいかず、旅館の部屋でぼうっとしている日が増えていました。

その日も家族が温泉街の散策に出かけても、一人残って、たまに女学院の宿題に手をつけるぐらいでした。

「あら、ライカ、ずっと部屋にいたの？」

昼前になって、姉さんが戻ってきました。買い食いをしていたらしく、何かの串《くし》が手にあります。

女学院の外とはいえ、女学院の生徒も温泉に来ている可能性は高いので、気は抜かないほうがいいですよ。いちいち忠告はしませんけど。

「今日はずっと宿題をしていましたから。家より集中できるんです」

「それは半分本当で半分ウソね。あなたなら、休みがはじまった最初のうちに片付けてしまえる量だし、実際、そうしてた年のほうが多かったし。わざと宿題を溜《た》め込んで余計なことを考えないようにしてたんでしょ」

姉さんは我のノートを覗《のぞ》き込んで、そう結論づけました。姉さんに我が隠《かく》し事をするというのは、昔から無理なのです。姉さんの洞察力がいいというより、我がわかりやすすぎますから。

「ええ、そうですよ。姉さんが卒業するんですから」

「あら、私が卒業して寂《さび》しいんだ。ライカはお姉ちゃん子だね～」

姉さんは無理矢理《むりやり》、我に抱きついてきました。

我は人形みたいに体を振られるままに任せて、頭をぶらぶらさせていました。抵抗したところで、姉さんは絶対にやめないのです。むしろ、我の反応がいいほうが調子に乗るので、好きなように抱きつかせるのが上策です。

温泉に何度も入っているからなのか、今日の姉さんは湯上がりのような香りがしました。

「我に限っては、寂しくなどありませんよ。家に帰れば、姉さんはいますしね。どうせ授業中は学年も違うから会うこともないんですし」

「ライカ、本当のことでも、言われるとお姉ちゃん、傷ついちゃうよ」

姉さんがふくらませたほっぺたが少し我の頬《ほお》に当たりました。

全部察している人相手に、なんでいちいちしゃべってやりとりしないといけないのでしょうか。

「姉さんが卒業することで、女学院に何か起こるんじゃないかと思うと、気になって仕方ないんです。姉さんは卒業する側だから他人事《ひとごと》かもしれませんが、生徒会に残る側は気が重いですよ」

姉さんは六年生の十年目。

今年度で女学院も卒業です。

卒業後は、だらだらと世界中を飛んで回るそうです。まあ、長らく生徒会長として君臨したという肩書があれば、どうとでも生きていけるから、姉さんの将来については何も心配していません。

うかつに心配するとかえって悪ノリで余計なことをしそうですし。

「え〜？　もう会長職は卒業を前に譲ってるでしょ。東の副会長の、茜光《せんこう》のセイディーに生徒会長職をちゃんと禅譲《ぜんじょう》したのは、あなたも目の前で見てるはず」

まだ、わかっている人相手に話を続けないといけないようです。

「はい、形式上は今の姉さんはすでに会長ではなく、ただの一人の六年生です。形式上は。でも、長らく会長として女学院を支配してきた独裁者としては、まだ影響力を保っているんですよ」

「独裁者という表現が気に入らない」

そう言って、姉さんは我の頭をぐりぐりしてきました。ドラゴンの我にとっては微々たるダメージですが、多分、人間がされると脳が陥没して死にます。

「気に入らないとしても、本当のことです！　本当のことを言わせようとしたのは姉さんですからね！　姉さんと同学年の西の副会長だった翔撃《しょうげき》のテミヤイヌさんも卒業しちゃいますし、来年度は女学院のパワーバランスがおかしなことになるんです！」

そう、レッドドラゴン女学院は、長期にわたって姉さんが会長の座に就《つ》いていたのです。

文句《もんく》なしに最強と謳《うた》われてきた姉さんの下で、女学院は大きな混乱もなく運営されてきました。

でも、その姉さんがいなくなれば、新たな会長になってやろうと思う方が何人も出てきてもおかしくありません。生徒会選挙に立候補する人が増えるかもしれません。

そうなれば必然的に激しい争いが起こるわけです。

まして、今の会長である茜光《せんこう》のセイディー先輩はあくまでも会長職を譲られた存在。

女学院中の生徒が、彼女を最強であると認めたわけではない。

自分こそ、真の女学院最強の生徒であり、生徒会長に就くべきドラゴンだと主張する存在が出てこないとも限らない。

もし、その存在が他の追随を許さない第一人者なら、生徒会もまだ収まるでしょうが――

わずかの差で生徒会長の座を射止《いと》めたにすぎないなら、また会長を狙《ねら》う存在が出てくることになる！

レイラという大きな岩がどかされたことで、女学院は地獄の釜のふたが開いたかもしれないのです。動乱の時代の幕開けのおそれもあるのです。

――で、そんなことをすべて知っているはずの姉さんは無責任に、卒業間近の感慨《かんがい》すら匂《にお》わせずに生きているのです。

ようやく、ぐりぐりやるのを姉さんは止めました。

「せいぜい頑張りなさい、としか言えない。私は生徒会長をやっていた間、逃げも隠れもしなかった。それは女学院のレベルがその程度ってことよ。それで私が卒業して女学院が荒れても知らないわ。どんぐり同士で背比べしてなさいよ」

やけに冷たい物言いですが、これが姉さんの素です。

女学院では、少なくとも建前《たてまえ》ではこんな態度は見せてきませんでした。

「過去には女学院も殺伐とした空気だった時代もあるそうだし。私が入学した時にはすでに規律正しいお嬢様の園で、私もそれを維持するのが楽だったから続けたけど、この先、それが続くかは知らない。その時代を生きる生徒がやっていかなきゃしょうがない」

「わかっています……。姉さんは何もルールを破ってはいません。むしろ、何十年も会長が同じ人物だったということが異常だったんです……」

茜光《せんこう》のセイディー先輩が会長職をまっとうしても、彼女も今の五年生。すぐに六年生に上がりますから、十年後には卒業です。その前に生徒会選挙がやってきて、次の生徒会長が必要になります。

生徒会長は女学院の生徒側の長なのだから、その任に就くのは上級学年の生徒のほうが自然だし、そうなれば当然の帰結で会長も短期間で入れ替わっていくのです。

「しょう、も、な」

姉さんが我の耳もとで音を区切るようにつぶやきました。

びくりとして、我は飛びのきました。

「何をするんですか！」

ですが、抗議する我よりも姉さんのほうが怒った顔をしていました。

「ライカ、さっきから聞いていれば、スケールが小さいよ。なんで生徒会や女学院の未来のことばかり考えてるのよ。いつからそんな小物になったの？　姉さんは悲しくて涙が出そう」

「いやいや、だって生徒会の役員なんですから！　生徒会や女学院の未来を考えるに決まってるじゃないですか！」

こんな理由で怒られるのは理不尽にもほどがあります！

「ライカ、入学した時には生徒会に入ろうだなんて夢は抱いてなかったでしょ」

姉さんのその言葉に、我は覆《おお》われていた闇《やみ》がはがれたような気がしました。

本当だ。

本来、我が目指《めざ》していたものは――

「私を超える、つまり女学院最強のドラゴンになる、もっと言えば最強のレッドドラゴン、最強のドラゴン、最強の存在。そんな気持ちでいたはずよね？　ライカは単純だから、それぐらいわかってたよ」

それから、姉さんは怖い顔をして、我の顔を指差しました。

「三学期になったら、勝負しましょう。卒業前に全力で戦ってあげるから、あなたも全力でかかってきなさい」

それは姉さんというより、元会長からの宣戦布告！

姉さんは、そこでぺろっと舌を出して、表情をゆるめます。

「それに、もしも私に勝ったら、ライカが最強だと思われて、女学院もちょっとは締まるかもしれないでしょ？」

ああ、女学院の未来を悲嘆《ひたん》している我に、姉さんは最後のプレゼントをくれるということですね。

この勝負に勝てば、我は女学院最強と認識される。

それによって混乱は起きづらくなるかもしれない。

でも、このプレゼントは、タダでは手に入らないのです。

「まあ、私が勝っちゃっても知らないけどね。そしたら、現役《げんえき》の生徒会役員はたいしたことないって思われるのかな～？　私は手加減をするような不正は絶対しないから。生徒会長だったプライドに懸けて誓うよ」

まったく、とんでもない宿題を出されてしまいましたね。

◇

冬休みが終わり、再び女学院の生活がはじまると――

「女学院最強と長らく讃《たた》えられてきた元生徒会長、我と勝負をしていただけないでしょうか？」


我は先手を打って、姉さんに勝負を挑みました。

校舎前の庭園の、炎の柱が立ち上っている前で。

その時の姉さんはおなかを抱えて笑っていました。

「さすが、ライカ！　そっちから勝負を挑んでくるだなんてね！」

「実績では姉さんのほうが上ですから。下のほうから申し込むのが筋だと思いまして」

言わずもがな、姉さんは快諾《かいだく》してくれました。

その話題は、すぐに六年生の卒業を超えるほどに大きなトピックになりました。

姉妹《しまい》対決だと無邪気《むじゃき》に楽しんでいる層もいれば、これで生徒会運営に悪影響が出はしないかと心配する生徒会役員や教師の方々まで、反応はいろいろでしたが。

もっとも、我が責められることはまったくありませんでした。

なにせ、姉さんは挑戦を受ければきっとその人と戦っただろうからです。

自分が最強だと示す勇気があるなら、姉さんが卒業する前に勝負すればいい。我一人がやる必要はない。

そんな生徒が出てこなかったということは、レイラという存在がそれだけ大きいということ。どの生徒もレイラには勝てないと考えているということ。

やれるだけやってやりますよ。

教師陣の粋《いき》なはからいなのか、元会長の引退試合ということで、授業が一時間削られて、我々の試合の時間がとられました。

場所は講堂。どういう結果になろうと、全校生徒でしっかり見届けようということでしょう。

姉さんの声援はいまだに大きなものがありました。

なにせ、女学院の顔として長年、君臨してきたのですから。姉さんを崇《あが》める生徒だけでも、全体の二割はいるのではないでしょうか。

文武両道、そこに美しさと優しさ、それに厳しさも兼ね備えて、姉さんはずっと女学院の模範《もはん》でした。女学院の生徒は姉さんのように生きることを目標としてきましたし、教師たちもそのように求めてきました。

無論、我もそのうちの一人。

いえ、妹だからこそ、さらに姉さんを目標にしてきたと言っていい。

我ほど姉さんをこの目で見てきた生徒はいないのです。

だからこそ、姉さんを超えなければ！

追う者のままでいるのは楽だけれど、そのままではいけない。

姉さんと対峙《たいじ》した我も笑っていたと思います。

考えてみれば、本気で姉さんと戦ったことはありませんでしたね。姉さんは我にずっと甘くて、姉妹ゲンカにすらなりませんでした。一方で、我も姉さんの偉大さを自然と感じ取って、あこがれと畏《おそ》れを抱いていました。

でも今は思う存分、戦える。


講堂の中は異様な雰囲気でした。試合開始前から気分が悪くなって保健室に向かう方までいたようです。

でも、我はこの雰囲気が嫌いではありません。

我はこんな場所を求めていたのかもしれない。

今更、やれることも、考えつくこともそう多くはありません。

もしも戦闘中の行動を正確に言葉にしようとすればとんでもなく長くなるかもしれません。でも、細かな動きも理論もすべて我の体と頭に入っていて、我はそれに従ってやれることをやればいいのです。

魔法も使えず、手足で攻撃するぐらいのことしかできないルールなのだから、女学院の中での勝負は驚くほどにシンプルです。

そのうえで、勝てる時は勝てるし、負ける時は負ける。

そして、どうせなら勝ちたいし、負けないように戦うのが、勝負というものです。

我と姉さんはお互い、緊張した様子もなく向き合いました。

「妹だからって手加減しない——って言われなくてもわかってるよね！」

姉さんはすぐに前傾姿勢になって仕掛けてきました。

力を相手に叩《たた》きつけるだけの、あまりにも単純な意図の攻撃。技巧と呼べるものなど持っていない。技術だけなら姉さんよりはるかに優《すぐ》れた生徒がいくらでもいるでしょう。

なのに、一撃一撃が怖いほどにすさまじく重い！

ズグッ、ズグッと鈍《にぶ》い音が骨にまで響いてくる！

「入学したての私は破壊王と呼ばれてたな。どれだけガードしてもその上から殴って破壊してたから。でも、そのうち最強としか呼ばれなくなってて、会長とだけ呼ばれるようになってた」

これこそ、姉さん——レイラの強さ！
この人の中には教科書的な正攻法はない。

効率よく相手を倒すことも、攻撃を耐えることも考えてない。

技術的に見れば稚拙《ちせつ》と言っていいし、真似《まね》することさえためらわれるレベルです。

なのに、その打撃の威力は唯一無二！

力を押しつけ、相手を強引《ごういん》に粉砕《ふんさい》する！

こうもでたらめなのに、長く修練を積んだわけでもないのに強いのだとしたら、それは生まれ持っての才能——天稟《てんぴん》とでも呼ぶほかない！

神に祝福された、大いなる力！

「多くの方が姉さんにあこがれた理由……よくわかりました……」

ほかの方は姉さんにかなわない理由を合理的に考えられない。

だから、支配者となるべく生まれた者として姉さんを認め、それに従うしかなかったのです。

神に愛された者が目の前にいる状況で、自分がより神に愛された者として生まれ直すことなど不可能なのだから！

「私に歯向かってきたのは、ブルードラゴンのフラットルテだけだったよ。ああいうバカはやりづらいよね。同族嫌悪だったのかもしれないけど」

「ああ……。技術を無視しているという点ではよく似ていますね……」

「私はあいつと違って生き方の技術までは無視してないけどね！　だから、私のほうが偉いよ！」

姉さんの膝蹴《ひざけ》りが我の脚に入りました。

痛みよりも、体の奥に響くような衝撃の波が我を蝕《むしば》んでいきます。

我もこの力に抗《あらが》うのを諦《あきら》めそうになります。体の感覚がマヒしそうな一撃、一撃。適切なガードをしても、そんな小人《しょうじん》の知恵を嘲笑《あざわら》うような暴力！

しかし、一方で、こう感じてもいました。

我は、これを超えられる可能性を持っていると。

たとえ圧倒的な才能の差があっても、我も自分を高めるだけのことはしてきました。挑戦・勝利・成長、この女学院の校訓のような生き方を地道に、愚直に繰り返して、生きてきたのです。

差が埋《う》まる可能性はある！

事実、体力は削られているにしても、我はこうして立っている！

我は姉さんに拳《こぶし》を繰り出します。

姉さんは回避も上手ではないので、難なくヒットします。回避の必要がなかったから、練習もしてこなかったのでしょう。

「やったね。お返しっ！」

直後に痛烈なキックの反撃を喰《く》らうことになりました。我は講堂の壁にまで飛ばされて、大きな窪《くぼ》みを作りました。

それでも姉さんへのダメージにはなっている。

このダメージを積み上げる！

レンガを積み上げて塔を造れ。天にまで届く塔を。

土台が崩《くず》れたなら、また一からより強固な土台を用意してやり直せばいい。

天才には天才なりの戦い方があるなら、愚者には愚者なりのやり口がある！

我はどれだけ姉さんに攻撃を受けても、姉さんへやり返すことだけは忘れませんでした。

「まだ倒れないの……？　やけに体力あるのね……」

姉さんが顔をしかめました。

「諦《あきら》めは悪いですからね！」

「こんなところで妹の知られざる顔を見るとか嫌だな！」

「我の全部を知ってるつもりなら、大間違いですよ！」

そこからは――いえ、最初からひどい泥仕合《どろじあい》。

最低限のガードをしつつ、敵を疲労させることだけ考えて攻め続ける。限界が来るまではこれを続ける。

姉さんの攻撃を喰《く》らった直後には、必ず我がダメージを与えられるチャンスが来ます。

目には目を。自分が粘ることが、相手へのダメージにつながる。

もう意地でした。

応援の声も届きません。きっとヒアリスさんも、リクキューエンさんも、ノエナーレさんも、同じ学年の方々も応援してくれているはずなのに。

この世界には我と姉さんしかいないようです。

近い感覚はノエナーレさんと戦った時にも味わいましたね。

拳で伝え合う――あまりにも乱暴に見えますが、とても誠実なコミュニケーション。

どちらもまともに攻撃を喰らって、壁にまで飛ばされました。それでもすぐに起き上がって、逆に壁に打ちつけました。そんなことを延々とやりました。炎を吐《は》いてはいけないというルールがなければ、きっとそこらへんを火の海にしていたでしょう。

「もう倒れろ！」

また殴られました。

けど、姉さんと張り合うために立っているわけでもないんです。

倒れませんよ！

我はもっと強くなるために、くじけたりなどしない！

「なんで立ってるのよ！」

姉さんの重い拳が胸に入ります。

脳が揺れ、脚がふらつきます。

姉さんも今度こそ落ちたと思ったでしょう。安堵《あんど》の顔が目に入りました。

「まだです！　まだっ！」

我はふらついた勢いを使って――

姉さんの頬に一発ぶちかましました。

山の土を鍬《くわ》で削って山の向こう側まで達する穴を空けろと言われれば、まともな人は誰《だれ》もができないと答えるはずです。

しかし、それはわかりきった真理なんでしょうか？

もしかしたら、向こう側が見える穴を穿《うが》てるかもしれない。

その証拠に、この世界にはトンネルというものがあるじゃないですか。

さあ、次の一撃を！

我が腕を振り上げたところで、姉さんがだらんと腕を下ろして――

どさり。

その場に崩れていきました。


「あ～、負けちゃったか～」

姉さんはすべてから解放されたような、さっぱりした顔をしていました。

「ここからは、あなたが女学院を背負っていきなさい」

「別に女学院最強で留《とど》まるつもりはありませんよ」

我はすぐに言ってやりました。

ここは大切な場所だけれど、いずれ卒業して出ていくしかない。

その外側でも通用する力を手にしなければ、無意味なのです。

「そうね。好きなようにやりなさい。私も卒業したら、好きなように生きるから」

姉さんも会長という地位に、女学院最強という地位にずっと縛られていたのだと、妹の我はその時やっと知りました。

何十年も女学院の顔として立ち続けるというのは、なんと孤独で寂しい戦いなのでしょう。鋼鉄の意志がなければとても不可能です。

でも、それは気味悪い虚像でもあります。長命なドラゴンとはいえ、何十年と君臨する生徒会長というのは奇妙です。

だから、我が最後に虚像を破壊する役目を任されたのですね。

我は姉さんの顔の横に跪《ひざまず》いて、その手を握りました。

「いい勝負でした、姉さん」

と、その時、地響きのようなものが聞こえました。

我たちが吹き飛ばされた時にできたヒビや穴のせいで、講堂に巨大な亀裂が走り、そこから建物全体が崩壊《ほうかい》しはじめていたのです。

悲鳴が上がりましたが、そこまで切迫した悲鳴でもありません。建物の倒壊程度ならドラゴンはちょっとしたケガですみますから。

「あ～あ。こんなことでつぶれるって、手抜き工事じゃないの？」

姉さんはあきれた声で天井《てんじょう》を見上げています。

その天井が一箇所抜け落ちて、床で砕けました。

天井からまぶしい太陽の光が降り注《そそ》いできます。

「よかったね、太陽もライカを祝福してるよ」

「我は姉さんに祝福されるほうがうれしいです」

言ってやりました。

ぎゅっと、姉さんが我の手を思いきり引きました。

倒れ込んだ我の頬に姉さんは、軽くキスをしました。

「私の妹がいつまでも幸せで、健《すこ》やかに暮らせますように」

我の目に自然と涙がにじんできました。

「はい、いつまでも元気に暮らしますよ、姉さん」

◇

春。すべてがはじまる季節。

我は生徒会の書記として、新入生の前に立っています。

今の生徒会長からは会長を譲ろうかと打診もされましたが、慎《つつし》んでお断りしました。

姉さんにまぐれで勝ったとはいえ、我は女学院最強と言えるような実力は持ち合わせていません し、仮に最強だとしても、最強の生徒が会長をやる必然性もないのです。過度の人事異動は余計な混乱を招くだけでしょう。書記あたりがちょうどいいのです。副書記のリクキューエンさんも支えてくれますしね。

いくつもの新入生の緊張した顔が、すべて昔の我のように見えます。

たくさん悩みながら、挑戦して、そしてたくさん勝っていってください。たくさん負けてもいいですが、たくさん勝つことも目指してください。挑戦が増えれば、負けだけでなく勝ちも増えます。

姉さんは三日前に旅に出ると言い残して、空を飛んでいきました。今頃《いまごろ》、どこかの空を舞っているか、あるいはどこかの街の市場をぶらついているでしょう。

幸い、入学式のこの日は天気も悪くなく、不穏なはじまりということもありませんでした。なにせ、つぶれたというか、我たちがつぶした講堂の新築工事が終わっておらず、屋外での入学式だったからです。雨だと厄介《やっかい》なことになっていました。

まあ、まずいことになったら、その時、考えましょう。

我も姉さんを少しだけ見習って、楽天的になろうと思います。

不安が我を弱くしてしまうのなら、強くなるために不安を捨てていくのです。

生徒会長の茜光《せんこう》のセイディー先輩が祝辞を述べた最後に、「次は書記のライカさんから諸注意がありますとおっしゃいました。そうそう、そんな仕事もあったのでした。

我はゆっくりと演壇に上がりました。

「皆さん、レッドドラゴン女学院へようこそ！」

終わり

あとがき

お久しぶりです！　森田季節《もりたきせつ》です！

ついに十三巻ですね。もはや、よくわからない冊数になってまいりました。

巻数を重ねないとできないようなお話などもいろいろやっていくつもりです。というか、すでに用意しておりますので、これからも応援していただけますと幸いです！

さて、今回も報告できることを順番に。


十月に次のドラマＣＤが出ます！

これまでと同じように十四巻の特装版という形でドラマＣＤがついてきます（当然、十四巻の通常版も同時に出ます）。よろしければご予約のほう、よろしくお願いいたします！

このドラマＣＤでは新たに魔王ペコラに声がつきます！

その声優さんですが、なんと――――田村《たむら》ゆかりさんですっ！

とてつもなく光栄なことで上手く言葉にできないのですが、とにかく田村ゆかりさんのペコラの声をぜひお確かめください！

シバユウスケ先生によるコミカライズ七巻が九月に出ます！　七巻はククが成長していく話が中心ですかね。フラットルテの勇姿ともども見届けていただければうれしいです！

村上《むらかみ》メイシ先生の「ヒラ役人やって１５００年、魔王の力で大臣にされちゃいました」コミカライズの三巻も同時に発売になる予定です！　村上先生にはスピンオフの「ヒラ役人」の全エピソードを漫画にしていただけました。本当にありがとうございます！

村上メイシ先生には漫画オリジナルのキャラクターも登場させていただきました。温泉を探す謎の少女・ユーユです。

これは原作者の僕も以前から願っていたことなので「やったぜ！」とガッツポーズしました。この小説原作がコミカライズやアニメの一応の軸になるとは思うのですが、そこから派生して様々な別の物が生まれるのを見るのは本当に原作者冥利《みょうり》に尽きるので。

機械音痴《おんち》なので例がおかしいかもしれませんが――プログラムを作ったら世界中の人がそのプログラムを使ってくれたみたいな感覚です。

なお、二冊のコミックはどちらもペコラが表紙になる予定です。どうぞ、ご期待ください！

そして、早ければ今月（七月）末に、新しいスピンオフのコミカライズがはじまります！

本書にも二話が収録されているスピンオフ「レッドドラゴン女学院」のコミカライズです！　こちらの作画は羊箱《ひつじばこ》先生です！

学生時代のライカをはじめ、かわいいキャラがバシバシ出てきますのでよろしくお願いいたします！

こちらの連載も本編スピンオフと同じく、ガンガンＯＮＬＩＮＥで発表されています。ぜひ、そちらのサイトにアクセスしてみてください。

それと、もちろんアニメのほうも着実に準備が進んでおります。

まだ僕が発表できることはないのですが、おそらく今後ツイッターなどでも告知がされていくと思いますので、「スライム倒して３００年」公式アカウント（@slime300_PR）のほうをご確認いただけますとうれしいです！

告知できることが終わったので、あとがきらしい内容に入ります。

十三巻でまた新しいキャラが増えました。紅緒《べにお》先生、本当にありがとうございます！　そのうち一体はいわゆる美少女キャラではないカテゴリーで、かえって困惑させてしまったかもしれませんが……（笑）。

もはやキャラの数も多すぎて、作者のほうも何人いるのか把握《はあく》しきれてないのですが、これからもじわじわ裾野《すその》を広げていければと思います。

先日ウェブ上で、漫画では当分登場しないような、原作のかなり先に出てきたキャラのファンアートを描いてくださっている人を拝見いたしました。

なお、ノーソニアでした。

そんなところにまで目を向けてもらえているのだと本当にうれしくなりました！

アズサやライカといった高原の家の家族がお話の中心になるのは今後も変わらないと思います。一方で、魔族の土地や死者の王国、その他いろんな土地に散らばっているほかのキャラも、愛してもらえるようなお話作りをしていきたいです。

十三巻ではハルカラの作った博物館が絡んでくるお話がありました。ものすごくゆっくりですが高原の家の既存メンバーの生活にも、追加要素が増えました。

高原の家の家族の生活が激変してしまうと、もはや違う話になっちゃうのでベースになる部分はいじる気はないですが、家族の中でのエピソードや追加要素も増やしていきたいです。こちらもじわじわと拡大予定です！


アニメ制作が動き出したこともあり、携《たずさわ》ってくれている人の数が激増いたしました。本作品に関わってくださっているすべての方に心から御礼《おんれい》申し上げます。

そしてここまでシリーズを追いかけてくださった読者の皆さんにも、心からの感謝を申し上げます！　次は十四巻でお会いしましょう！

森田季節

GAノベル

スライム倒して300年、
知らないうちにレベルMAXになってました13

2020年 7月31日　初版第一刷発行

著者　　　森田季節
発行人　　小川 淳
発行所　　SBクリエイティブ株式会社
　　　　　〒106-0032　東京都港区六本木2-4-5
　　　　　03-5549-1201　03-5549-1167（編集）

装丁　　　AFTERGLOW
印刷・製本　中央精版印刷株式会社

ISBN978-4-8156-0705-0
Printed in Japan

ファンレター、作品のご感想をお待ちしております。

〒106-0032　東京都港区六本木 2-4-5
SBクリエイティブ株式会社
GA文庫編集部 気付

「森田季節先生」係
「紅緒先生」係

本書に関するご意見・ご感想は
下のQRコードよりお寄せください。
※アクセスの際に発生する通信費等はご負担ください。

https://ga.sbcr.jp/

試読版は
こちら!

試読版は
こちら!

やたらと察しのいい俺は、毒舌クーデレ美少女の小さなデレも見逃さずにぐいぐいいく

著：ふか田さめたろう　画：ふーみ

GA文庫

「猛毒の白雪姫」こと白金小雪。美少女だが毒舌家な彼女をナンパから救った笹原直哉は、その日から小雪につきまとわれる。

得意の毒舌で直哉をからかおうとする小雪だが……。

直哉にはまったく効かなかった！

「なるほど。一緒に帰りたいんだな」

「ちが……わなくもないけどぉ！」

やたらと察しがいい直哉は、小雪の言葉の裏にある心を読み取りグイグイ距離を詰めていく。お互いの「好き」を確かめるために。

WEB小説発。ハッピーエンドが約束された、すれ違いゼロの甘々ラブコメディ。